# BOÎTES À LUNCH SANTÉ

Geneviève O'Gleman, Dt.P., nutritionniste

## 100 recettes faciles, savoureuses économiques et équilibrées

ÉDITIONS
LA SEMAINE

LES ÉDITIONS LA SEMAINE
2050, rue de Bleury, bureau 500
Montréal (Québec) H3A 2J5

Éditeur: Claude J. Charron
Éditeur délégué: Claude Leclerc
Directrice des éditions: Annie Tonneau
Directeur artistique: Éric Béland
Coordonnatrice aux éditions: Françoise Bouchard
Concepteurs: Dominic Bellemare et Michel Malouin

Directeur des opérations: Réal Paiement
Superviseure de la production: Lisette Brodeur
Assistants-contremaîtres: Valérie Gariépy, Steve Paquette
Infographiste: Marylène Gingras

Réviseurs-correcteurs: Paul Lafrance, Sara Nadine Lanouette, Corinne de Vailly
Scanneristes: Patrick Forgues, Éric Lépine, Estelle Siguret

Photos intérieures: Christian Savard
Stylisme: Nathalie Gaulthier

Photo de la quatrième couverture: Georges Dutil

Remerciements: Gouvernement du Québec - Programme de crédits d'impôts
pour l'édition de livres - gestion SODEC

Les propos contenus dans ce livre ne reflètent pas forcément
l'opinion de la maison d'édition.

© Charron Éditeur Inc. 2007
Dépôt légal: Troisième trimestre 2007
Bibliothèque nationale du Québec
Bibliothèque nationale du Canada
ISBN: 978-2-923501-40-6

«À Stéphane et Maude, mes amours»

Distribution: Messageries de Presse Benjamin
101, rue Henry-Bessemer
Bois-des-Filion (Québec) J6Z 4S9

## Table des matières

## Remerciements

Je tiens à remercier sincèrement les gens qui m'ont aidée dans cette merveilleuse aventure. Certains m'ont donné un coup de main pour tester et goûter les recettes, d'autres m'ont tout simplement appuyée au fil de ce projet. Je vous remercie tous.

Je remercie avant tout Stéphane Collin, mon amoureux et complice. Ta passion de la bonne bouffe et tes idées ingénieuses m'ont inspirée dans la création de toutes ces recettes. Maude, ma petite fille gourmande aux papilles curieuses, tu as été un excellent cobaye! Nous nous sommes régalés tout au long de l'écriture de ce livre de recettes.

Un grand merci à toute l'équipe des Éditions La Semaine. Vous êtes toujours ouverts aux idées originales, voire audacieuses. Vous n'avez pas peur des défis et n'hésitez pas à faire tout ce qu'il faut pour produire des ouvrages de qualité. C'est un privilège et un plaisir de travailler avec vous. Je remercie plus particulièrement Claude Leclerc, Annie Tonneau, Éric Béland, Françoise Bouchard. Un sincère merci à Claude J. Charron, j'apprécie la confiance que vous m'accordez.

Marie-Josée Taillefer, c'est toujours un grand plaisir de travailler avec toi, et c'est grâce à toi que j'ai connu la dynamique équipe des Éditions La Semaine. Merci!

Derrière les photos si colorées et appétissantes, il y a Nathalie Gauthier, styliste culinaire, et Christian Savard, photographe.

Merci également à Judith Blucheau et Andréanne Caron, nutritionnistes, pour votre coup de main pour l'analyse nutritionnelle des recettes et pour vos bonnes idées!

# Introduction

**Monotone, votre boîte à lunch?**

Lorsque j'ai demandé à mon entourage de me donner le premier mot qui lui venait en tête lorsqu'il pensait à sa boîte à lunch, les réponses que j'ai obtenues n'avaient rien de très reluisant. Monotone, répétitive, ennuyante, exigeante, moche, corvée... La liste des commentaires négatifs et des grimaces provoquées par la seule idée de se préparer une boîte à lunch jour après jour est évocatrice. Est-ce une punition de devoir manger un lunch à l'école ou au travail?

Voilà pourquoi j'ai décidé de consacrer mon deuxième livre de recettes à cette pauvre mal aimée qu'est la boîte à lunch. Question de redorer son blason et de prouver à tous qu'une boîte à lunch peut être séduisante!

Le défi était de taille: créer 100 recettes santé, savoureuses et rapides à préparer. Nous n'avons pas tous accès à un four à micro-ondes à l'école ou au travail, et quand on y a accès, la longue file d'attente pour l'utiliser en décourage plus d'un. Toutes les recettes de mon livre se mangent froides, quoique certaines exigent de la cuisson à la maison, comme les muffins et autres desserts.

Les recettes ont été durement mises à l'épreuve. Testées plusieurs fois et par plusieurs personnes; elles ont été cuisinées la veille et dégustées le lendemain. Je voulais être certaine qu'elles résisteraient à l'épreuve du temps et du sac à dos! Qui veut d'un lunch détrempé à l'heure du dîner?

Quelles soient allégées en sucre ou en gras ou bonifiées de fibres, de calcium, d'oméga-3, de fer ou d'antioxydants... toutes les recettes de ce livre sont bonnes pour votre santé.

Jetez un coup d'œil au coin inférieur droit de chaque recette pour connaître sa valeur nutritive et ses atouts santé.

Les recettes santé et conseils de ce livre pourraient fort bien réduire vos risques de cancer, de diabète, de maladies cardiovasculaires, d'ostéoporose et d'autres maladies chroniques. Toutefois, elles ne constituent pas un traitement en soi et ne garantissent pas une protection absolue contre les maladies et autres aléas de la vie!

Les mets principaux, sandwiches, salades et autres mets froids, sont intégrés à une boîte à lunch équilibrée. Je propose des accompagnements pour que le tout soit harmonieux et savoureux. Ajoutez-y en extra de petites collations supplémentaires ou des boissons si l'appétit vous en dit!

Les portions des accompagnements ne sont pas indiquées, et c'est voulu. Un jeune enfant peut se contenter d'une dizaine de raisins alors qu'un ado en pleine croissance en mangera trois fois plus. Adaptez les portions aux besoins de chacun et habituez toute la famille à en laisser lorsque l'appétit n'est plus de la partie.

Il y en a pour tous les goûts: des goûters conservateurs et des idées audacieuses, des classiques revisités et des créations originales. Certaines recettes plairont davantage aux enfants, d'autres ont été créées pour plaire aux papilles des grands. Chose certaine, que vous soyez petit ou grand, à l'école ou au travail, responsable de votre propre lunch et ou de celui de toute la maisonnée, ce livre vous rendra la vie plus facile, et les boîtes à lunch monotones seront chose du passé!

Je vous souhaite des boîtes à lunch variées, savoureuses et, surtout, pas compliquées!

*Geneviève O'Gleman*

**Geneviève O'Gleman, Dt.P.**
**Nutritionniste**

**56 %**

des adultes sautent au moins un repas par semaine. Dans **45 %** des cas, la «victime» est **le dîner**.

## MANGEREZ-VOUS CE MIDI?

Cette question semble banale mais, dans les faits, un adulte sur deux ne dîne tout simplement pas. Pour gagner du temps, plusieurs adultes ont pris l'habitude de dîner sur le pouce, de manger en travaillant ou, pire, de ne pas manger du tout. Voilà une habitude menant tout droit à la fatigue, aux fringales et aux problèmes de concentration en après-midi.

Eh oui, ce que vous mangez pour le lunch détermine votre niveau d'énergie, votre résistance au stress, votre capacité à vous concentrer en après-midi! Vous voulez déborder d'énergie? Pensez à bien vous nourrir!

Cela commence par la prise de trois bons repas par jour et de collations si nécessaire.

### Pourquoi faut-il trois repas par jour?

Pour arriver à maintenir un bon niveau d'énergie, le corps a besoin d'être nourri à plusieurs reprises au fil de la journée. Que ce soit par manque de temps ou par manque d'appétit, vous devriez y penser à deux fois avant de priver votre corps de carburant. Les coups de fatigue, les pannes d'énergie et les rages d'aliments figurent parmi les premières conséquences de ce jeûne temporaire.

### Dîner, ce n'est pas tout… Encore faut-il manger de bons aliments!

Si vous vous contentez d'une soupe, d'une simple salade verte ou d'un minuscule plat surgelé, sachez que ces repas incomplets risquent de ne pas vous soutenir convenablement en après-midi. Pas plus que les pâtes en sauce tomate et les bols de riz frit. Même une portion généreuse de ces plats ne contient pas assez de protéines.

Si vous ne mangez pas assez de protéines, vous aurez faim rapidement après votre dîner et vous vous sentirez amorphe, au bord de la panne. Il sera dès lors difficile de résister à l'envie de grignoter, de boire du café ou de manger des aliments sucrés. La solution? Équilibrez votre menu et n'oubliez jamais de manger des protéines le midi.

### Un dîner bien équilibré

Un simple regard sur votre assiette vous permet de savoir si votre repas est équilibré ou non.

## > L'assiette équilibrée

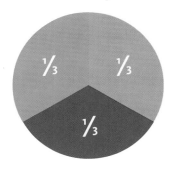

> **Légumes ou fruits**
> **Produits céréaliers**
> **Source de protéines**

**Divisez votre assiette
en trois sections égales:**

> Le premier tiers devrait être composé
> de **fruits ou de légumes**, crus ou cuits.
> Le second tiers devrait être composé
> **de produits céréaliers** ou **de féculents**
> tels que le pain, les pâtes, le riz,
> le couscous, l'orge, les pommes de terre,
> le maïs, les céréales et d'autres aliments
> à base de farine ou de grains.
> Le dernier tiers devrait être composé
> d'une ou plusieurs **sources de protéines**.
> Choisissez parmi les protéines **animales**
> (viande, volaille, poisson, fruits de
> mer, œufs, lait, yogourt, fromage)
> **ou végétales** (tofu, noix, légumineuses,
> arachides). L'important, c'est d'en manger!

La boîte à lunch, lorsqu'elle comprend des collations, contient souvent environ la moitié de ce que vous mangez dans une journée. La garnir d'aliments sains est donc primordial, surtout si vous avez peu d'appétit le matin.

**Misez sur les fibres!**
Les mets riches en fibres vous rassasieront plus longtemps et vous assureront un niveau d'énergie plus stable après le repas.

En choisissant du pain de blé entier, des pâtes de blé entier, des céréales entières sous différentes formes, vous direz adieu aux baisses d'énergie.

**Voleur d'énergie**
Les repas lourds comme les mets en sauce, les plats gratinés ou en croûte et les fritures sont plus difficiles à digérer et monopolisent l'énergie qui serait autrement disponible pour bouger et penser. Résultat: vous combattez le sommeil tout l'après-midi. Méfiez-vous aussi des collations commerciales comme les barres tendres, les muffins et les brioches... elles cachent souvent plus de gras qu'on ne l'imagine!

**Rages de sucre**
Les aliments riches en sucre raffiné (bonbons, boissons gazeuses, chocolat, pâtisseries) fournissent de l'énergie rapidement, mais ne soutiennent pas votre appétit, ni votre énergie, jusqu'au repas suivant. Après un bref regain, ce sera encore la panne, et elle sera pire qu'avant. Pour corriger vos rages de sucre, misez sur les aliments riches en protéines et en fibres aux repas et aux collations. Vos après-midi ne seront plus les mêmes!

# 39 %

des Canadiens ayant un emploi mangent dans une voiture ou un autre véhicule au moins une fois par semaine

## Avez-vous vraiment faim?

L'ennui, la fatigue, la frustration et le stress peuvent générer de fausses faims. Vous percevez une envie de manger, mais ce n'est pas une vraie faim, caractérisée par des gargouillis, une sensation de vide au niveau de l'estomac. Lorsque vous ne ressentez pas ces signes de vraie faim, évitez de manger et prenez plutôt du temps pour vous dégourdir les jambes et l'esprit. Mangez seulement quand vous avez vraiment faim et arrêtez de manger quand vous n'avez plus faim.

## Ne léchez pas votre assiette

Vous risquez de trop manger et en plus... ce n'est pas poli! Fiez-vous plutôt à votre appétit et non à la grosseur des portions, car vos besoins varient de jour en jour. Et pourquoi ne pas vous habituer à laisser quelques bouchées de côté à chaque repas? Cette simple habitude épargnera l'ingestion d'une grande quantité d'aliments au bout d'un mois. Ça aussi, ça compte pour perdre du poids!

## Accordez-vous des pauses détente

Faire une pause permet aussi de se changer les idées... pour être capable de bien poursuivre la journée! Profitez-en pour vous dégourdir un peu. Une petite marche de quelques minutes, une brève sortie à l'extérieur ou simplement quelques étirements vous procureront un regain d'énergie. À l'opposé, manger devant l'ordinateur ou en travaillant incite à manger trop, sans s'en rendre compte!

## Toujours pressé?

Lisez bien les capsules «Côté pratique» au fil de ce livre. Elles vous donneront de bonnes idées pour gagner du temps et des trucs pour mieux vous organiser. Et dites-vous que les Québécois écoutent une vingtaine d'heures de télévision par semaine. Le fait de convertir une ou deux heures par semaine en temps pour cuisiner peut vous permettre d'avoir des lunchs santé toute l'année. Et rien ne vous empêche de faire les deux. Regardez la télé en cuisinant ou cuisinez pendant les pauses publicitaires...

## Comment reconnaître une recette santé?

Chaque recette de ce livre est accompagnée de sa valeur nutritive. Un simple coup d'œil vous informera sur sa teneur en gras, en sel, en sucre ou en fibres. Vous pouvez trouver facilement les recettes les plus riches en oméga-3, en fer ou en calcium... selon vos besoins et vos préoccupations. Si la lecture de l'information nutritionnelle vous donne mal à la tête, voici quelques points de repère pour mieux décoder ces précieux renseignements...

Pour pousser plus loin votre démarche santé, n'hésitez pas à consulter un nutritionniste. Ce professionnel vous aidera à y voir plus clair et à adapter votre alimentation à votre style de vie.

Ordre professionnel des diététistes du Québec:
**1 888 393-8528** ou
**www.opdq.org**

## › Les besoins quotidiens

**Pour une femme...**

> **Calories**: variables selon l'âge, le poids, la taille, le niveau d'activité... De façon générale, les besoins caloriques d'une femme âgée de 25 à 49 ans et pesant 60 kg sont d'environ 2 000 calories par jour.
> **Protéines**: 0,8 g de protéines par kg de poids corporel, soit environ 50 g pour une femme de 60 kg moyennement active.
> **Matières grasses**: 65 g ou moins.
> **Glucides**: de 45 à 65 % des calories consommées dans une journée, soit entre 225 g et 325 g de glucides pour une consommation moyenne d'environ 2 000 calories.
> **Fibres alimentaire**s: environ 25 g à 30 g par jour.
> **Sodium**: environ 1 500 mg par jour
> **Fer**: 18 mg par jour pour une femme âgée de 19 à 50 ans.
> **Calcium**: 1 000 mg par jour pour une femme âgée de 19 à 50 ans.
> **Oméga-3**: 1,1 g par jour.

**Pour un homme...**

> **Calories**: variables selon l'âge, le poids, la taille, le niveau d'activité... De façon générale, les besoins caloriques d'un homme âgé de 25 à 49 ans et pesant 80 kg sont d'environ 3 000 calories par jour.
> **Protéines**: 0,8 g de protéines par kg de poids corporel, soit environ 65 g pour un homme de 80 kg moyennement actif.
> **Matières grasses**: 90 g ou moins.
> **Glucides**: de 45 à 65 % des calories consommées dans une journée, soit entre 335 g et 485 g pour une consommation moyenne d'environ 3 000 calories.
> **Fibres alimentaires**: environ 20 à 40 g par jour.
> **Sodium**: environ 1 500 mg par jour.
> **Fer**: 8 mg par jour pour un homme âgé de 19 à 50 ans.
> **Calcium**: 1 000 mg par jour pour un homme âgé de 19 à 50 ans.
> **Oméga-3**: 1,6 g par jour.

## 33%

**Un** Canadien **sur trois** se prépare un lunch pour le repas du midi.

### La recette idéale...
*(valeur nutritive par portion)*

> **Calories**: environ 200 calories pour une collation et 500 calories pour un repas
> **Protéines**: environ 5 g pour une collation et au moins 10 à 15 g pour un repas
> **Matières grasses**: entre 5 et 10 g
> **Glucides**: 60 g ou moins
> **Fibres alimentaires**: 2 g ou plus
> **Sodium**: 500 mg ou moins
> **Fer**: 2,1 mg ou plus
> **Calcium**: 165 mg ou plus
> **Oméga-3**: 0,3 g ou plus

### Que mangerez-vous ce midi?

Que vous optiez pour un lunch froid, les restes de la veille, des surgelés, le menu midi d'un resto ou de la cafétéria du bureau ou de l'école, il y a certainement moyen de manger sainement.

### Suivez-moi!

### Guide de survie pour le lunch froid

En préparant son lunch tous les jours, c'est pas moins de 250 boîtes à lunch qu'il vous faut garnir pendant une année. Imaginez lorsque toute la famille a besoin d'un lunch!

Faire son lunch, c'est économique, mais ça permet aussi de contrôler la qualité de son alimentation. Au resto, les portions sont plus grosses et les recettes, même celles qui semblent santé, contiennent souvent plus de gras, de sucre et de sel que les mêmes recettes maison. Le midi, les gens dépensent en moyenne 10 $ dans les restaurants. En fréquentant les restos cinq jours par semaine, c'est 200 $ qui se sont envolés au bout d'un mois. En préparant les lunchs de ce livre, la moitié de cette somme se retrouvera dans vos poches. C'est un pensez-y bien!

Le manque de temps et d'énergie pèse parfois bien lourd dans la balance. Le soir, on préfère souvent se reposer au salon et il faut une bonne dose de volonté (et un petit coup de pied...) pour aller préparer le lunch à la cuisine. C'est si facile de dire «tant pis».

### Partenaire de lunch

Êtes-vous de ceux qui aiment cuisiner pour les autres, mais pas pour vous? J'ai la solution! Joignez un collègue qui est dans la même situation et préparez à tour de rôle la boîte à lunch de l'autre. Une fois sur deux, on prépare le lunch pour deux! Vous verrez, c'est tellement plus motivant quand on cuisine pour quelqu'un d'autre. On veut le surprendre et lui faire plaisir. Résultat: notre

lunch est plus savoureux et appétissant. Et le lendemain, c'est à notre tour de nous faire gâter. Bonne idée!

### Regroupez

Réservez un endroit du garde-manger et du frigo pour regrouper les aliments qui composent les lunchs. Cela accélère la préparation et, lorsque les réserves baissent, cela saute aux yeux.

### Accumulez

Achetez les aliments non périssables en plus grande quantité. Cela permet d'augmenter la variété. Conservez en tout temps plusieurs sortes de compotes individuelles, de barres tendres, de craquelins santé, de fruits séchés, de noix... Ces aliments se conservent longtemps et complètent bien une boîte à lunch lorsqu'on manque de temps. Un frigo et un garde-manger bien garnis seront toujours plus inspirants!

### Multipliez

Doublez et même triplez systématiquement toutes vos recettes de muffins, galettes et pains aux fruits. Emballez le tout individuellement et congelez. Prenez aussi l'habitude de préparer une grande quantité de crudités à la fois et conservez-les au frigo.

Le soir, préparez plus de riz, de pâtes et de pommes de terre qu'il ne vous en faut pour votre souper. Ces aliments de base se transformeront illico en galettes de riz, salades de pâtes et salades de pommes de terre pour le lunch du lendemain. Doublez aussi vos recettes de plats mijotés, lasagnes, chili et autres mets en sauce. À l'heure du lunch, réchauffez-les au four à micro-ondes ou dégustez-les sans attendre grâce à un thermos à large ouverture.

### La boîte à idées

Vous manquez d'inspiration et le contenu de votre boîte à lunch tourne en rond? Parcourez vos magazines, vos livres de recettes et vos sites Web de cuisine préférés et relevez toutes les recettes de garnitures à sandwich, de salades-repas et d'autres classiques de la boîte à lunch. Découpez, photocopiez ou imprimez ces recettes, regroupez-les et conservez-les au même endroit. Cette banque d'idées viendra à votre rescousse lorsque la monotonie se mettra de la partie.

### Aide-mémoire

Dressez une liste des recettes santé que toute la famille aime et fixez-la sur votre réfrigérateur. Une source d'inspiration indéniable lorsque vient le moment de garnir la boîte à lunch. Jetez-y un coup d'œil avant de faire l'épicerie...

### Un jeu d'enfant

Plusieurs membres de la famille ont besoin d'un lunch? Sollicitez l'aide de chacun. Vous pouvez alterner les rôles. Chaque soir, une personne différente est responsable de préparer les lunchs des autres. Sinon, transformez la routine des lunchs en popote collective. Tout le monde met la main à la pâte!

Le fait d'impliquer les enfants permet de les rendre plus autonomes dans une cuisine. Ils apprendront à préparer des recettes simples et apprivoiseront progressivement les méthodes plus complexes. Vous en apprendrez plus sur leurs préférences et ils auront un plus grand sentiment de «contrôle» du contenu de leur boîte à lunch, sans pour autant négliger la qualité. Déléguez des tâches à leur mesure, selon leur âge. Ils seront fiers de leurs créations et seront moins tentés de jeter à la poubelle ce qu'ils ont eu tant de mal à préparer.

### Équipez-vous

Investissez dans un ensemble de contenants isolants, de plats de plastique de toutes les tailles, de boîtes ou de sacs à lunch, de contenants à jus réutilisables, de serviettes et d'ustensiles. Rangez le tout en un seul endroit pour gagner du temps au moment de la préparation et de l'emballage des lunchs.

### Évitez la procrastination

Le matin, trop pressé ou trop endormi, qui a envie de se préparer un lunch? On y va alors de solutions rapides. Résultat: le lunch souffre terriblement du syndrome de la monotonie. Pour plus d'inspiration et de motivation, préparez votre lunch la veille!

### Comme chez vous

Les recettes ont été élaborées dans ma maison, une cuisine normale, avec de l'équipement de base, le tout parfois rangé sens dessus dessous. Comme dans une vraie cuisine, quoi! Les recettes ont été testées par des gens qui ne sont ni des pros de la nutrition, ni des pros de la cuisine. Je voulais un livre pratique, simple et invitant. Le voici!

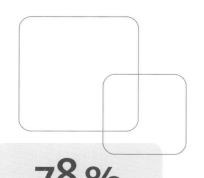

**78 %**

Selon les Diététistes du Canada, **78 %** des Canadiens veulent des recettes santé rapides à préparer.

**Top chrono**

Il existe des tonnes de livres de recettes qui proposent des idées savoureuses, mais souvent gastronomiques et plutôt complexes. Conservez ces livres pour les week-ends et les grandes occasions. Les soirs de semaine, il faut que ça saute! Dans mon livre, je vous propose des recettes très simples et d'autres un peu plus élaborées. Mais surtout, ce sont des idées rapides qui se préparent contre-la-montre. À vos marques! Prêts? Partez!

## DÎNEZ EN TOUTE SÉCURITÉ

Crampes, nausées, maux de tête et étourdissements sont les signes les plus fréquents des intoxications alimentaires. Les aliments les plus frais au monde peuvent devenir extrêmement nocifs s'ils ne sont pas bien conservés. Les aliments périssables ne devraient jamais passer plus de 2 heures à la température de la pièce. Si vous conservez votre lunch plusieurs heures dans votre casier ou dans le tiroir de votre bureau, ne vous étonnez pas si les aliments manquent de fraîcheur à l'heure du repas ou si des crampes vous empêchent de travailler efficacement.

Quand vous préparez des lunchs, lavez-vous les mains et lavez les comptoirs où vous manipulerez les aliments. Lavez bien les fruits et légumes avant de les utiliser et évitez qu'ils entrent en contact avec de la viande crue ou les jus de celle-ci. Les planches à découper, les couteaux, les éponges et les torchons de cuisine se transforment rapidement en foire à bactéries!

Conservez les aliments chauds dans des plats isolants comme les thermos, et gardez les aliments froids avec des sachets réfrigérants (*Ice-Pak*) ou des boîtes de jus congelés. Placez les sachets réfrigérants plus près des aliments périssables comme le fromage, le yogourt et les œufs, mais ne les collez pas directement contre le sandwich, pour éviter de détremper le pain.

Si vous n'avez pas accès à un frigo, consommez les aliments les plus périssables (lait, yogourt, fromage, trempette, œufs) à la collation de l'avant-midi et réservez les aliments qui se conservent longtemps (fruits, légumes, barres de céréales, muffins, craquelins) pour l'après-midi.

Il vous reste un demi-sandwich et un yogourt et vous n'avez plus faim? Si vous avez accès à un réfrigérateur, placez-y immédiatement les restes de votre boîte à lunch. Sinon, jetez-les. Ils ne seront plus bons une fois arrivés à la maison. Les sachets réfrigérants n'arrivent pas à conserver les aliments au froid durant toute une journée.

Lavez-vous les mains avant de savourer votre lunch ou munissez-vous de lingettes humides si vous n'avez pas accès à un lavabo. Évitez par ailleurs de manger en travaillant: ordinateur, bureau, crayons et téléphones regorgent de bactéries.

Nettoyez les boîtes à lunch, les sacs isolants, les sachets réfrigérants, les gourdes et tout autre ustensile chaque jour à l'eau savonneuse chaude. Évitez de réutiliser les mêmes sacs ou pellicules d'emballage. À quand remonte le dernier grand ménage de votre boîte à lunch?

## SÉDUISANTS SANDWICHES

Si les gens boudent autant les sandwiches, c'est parce qu'ils se ressemblent tous! Alors osez changer vos petites habitudes. Un sandwich jambon-fromage, c'est bien bon, mais lorsqu'il revient au menu de la boîte à lunch pour la 100ᵉ fois, il a perdu un peu de son intérêt.

*Pour composer un vrai bon sandwich, choisissez:*
> une source de protéines;
> un type de pain;
> des garnitures à volonté;
> des condiments santé.
*Assemblez le tout, et hop! c'est prêt.*

Il existe des centaines de combinaisons possibles pour réinventer cette composante incontournable de la boîte à lunch. Laissez aller votre imagination, tout en vous basant sur les quatre étapes de création de sandwiches présentées aux pages suivantes.

**1ʳᵉ étape**

### Sandwiches protéinés

Au-delà du classique jambon, d'autres **sources de protéines** font bonne figure entre deux tranches de pain. Voici quelques idées pour vous inspirer:

> Salade aux œufs
> Salade de poulet
> Salade de thon
> Salade de saumon
> Jambon en tranches ou haché (jambon blanc, jambon fumé à l'ancienne, jambon au poivre...)
> Rôti de dinde
> Rôti de porc
> Rôti de bœuf
> Poitrine de poulet
> Crabe ou goberge à saveur de crabe
> Crevettes à salade
> Sardines

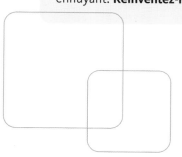

Véritable star de la boîte à lunch, le sandwich ne devrait jamais être ennuyant. **Réinventez-le!**

> Légumineuses en conserve (pois chiches, lentilles, haricots rouges)
> Tartinade de pois chiches (hummus)
> Tartinade de tofu
> Végé-pâté
> Baba ghanouj (tartinade de pois chiches et aubergines)
> Simili-viandes végé

Les charcuteries comme le saucisson, le salami, le pepperoni, le baloney, le simili-poulet ou le pain de viande ne figurent pas dans cette liste, et c'est voulu! Ils sont plus riches en gras, plus faibles en protéines et contiennent pour la plupart des nitrites et autres agents de conservation. Il n'y a rien de mal à choisir ces viandes à l'occasion, mais sachez qu'elles ne constituent pas un choix santé.

**2ᵉ étape**

### Cassez la croûte

Gardez un inventaire de plusieurs **types de pain** dans votre congélateur. Vous éviterez le gaspillage et, surtout, vous conserverez des pains bien moelleux. En conservant plusieurs variétés de pain, vous aurez accès à un plus grand choix.

De temps en temps, visitez les boulangeries artisanales. Le Québec regorge de petits trésors qui vous offrent de savoureux pains aux herbes, aux noix, au fromage, aux olives, aux tomates séchées... Sortez des sentiers battus et troquez le pain tranché pour l'un de ces choix:

> Pain croûté (miche)
> Pain de blé entier
> Pain multigrain
> Pains ciabatta
> Baguette française
> Tortilla de blé entier ou aux légumes
> Petits pains aux œufs
> Lahvash arménien (pain plat)
> Pain de seigle
> Pain de seigle au carvi
> Pain azyme
> Pain naan
> Pain kaiser
> Pain à sous-marin de blé entier
> Pain à hamburger (blé entier ou aux herbes)
> Pain pita de blé entier
> Pain pita miniature
> Bagels aux saveurs variées
> Muffins anglais
> Fougasse
> Focaccia
> Pain aux noix

### Ouvrez l'œil!

Au Québec, toutes ces variétés de pain sont en vente dans les grands supermarchés. Vous en doutez? Allez-y faire un tour et vous serez surpris de tout ce qu'on peut trouver quand on prend le temps de chercher. Les pains tranchés réguliers sont placés à portée de main et à la hauteur des yeux, pour faciliter et inciter leur achat. Si vous détournez le regard vers le bas ou le haut des tablettes, de petits bijoux s'offrent à vous. Et dites-vous que plus les clients opteront pour des pains spécialisés, meilleure sera l'offre et la fraîcheur.

### 3ᵉ étape

### Métamorphose toute garnie

Ne sous-estimez pas le pouvoir des **garnitures**. Elles apporteront des goûts, des textures et des couleurs qui changeront le visage de votre sandwich!

> Laitue Boston, romaine ou frisée
> Feuilles de bébé épinard
> Roquette
> Endive
> Scarole ou chicorée
> Cresson
> Luzerne
> Pousses de brocoli ou de pois mange-tout
> Carottes râpées
> Oignons verts hachés
> Fines tranches de pomme
> Fines tranches de poire
> Fines tranches de mangue
> Fines tranches de concombre
> Fines tranches de champignons
> Fines lanières de poivrons colorés
> Fines lamelles de fenouil
> Betteraves crues râpées ou tranchées à la mandoline
> Daïkon (radis blanc japonais) râpé ou tranché à la mandoline
> Tranches de tomates
> Tomates séchées
> Poivrons marinés
> Aubergines marinées
> Légumes grillés
> Câpres marinées
> Cornichons sûrs
> Feuilles de fines herbes fraîches (basilic, coriandre, menthe, ciboulette, thym citronné, persil plat, aneth...)
> Différents fromages en tranches ou râpés

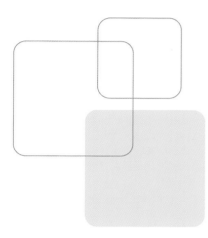

## 4ᵉ étape

### La touche finale

Le **condiment** rehaussera les saveurs de votre sandwich. Oubliez le beurre et la mayonnaise et laissez-vous tenter par ces délicieuses tartinades santé. La plupart des condiments se conservent longtemps au frigo alors, chaque semaine, prenez l'habitude d'acheter de nouveaux produits. Inspirez-vous des cuisines ethniques, il n'y a rien de mieux pour briser la routine!

> Moutarde douce
> Moutarde de Dijon
> Moutarde de Dijon aromatisée (à l'estragon, à l'orange, au poivre...)
> Moutarde au miel
> Moutarde de Meaux
> Pesto de basilic
> Pesto de tomates séchées
> Tapenade d'olives noires ou vertes
> Chutney doux ou épicé
> Pâte de cari, mélangée à un peu de yogourt nature
> Salsa mexicaine, douce ou piquante
> Raifort mariné
> Gelée de poivron
> Gelée de menthe
> Vinaigrette allégée (italienne, balsamique, tomates séchées, fines herbes...)
> Fromage à la crème régulier ou fouetté (plus facile à tartiner), nature ou aromatisé (ciboulette, saumon fumé, poivron rouge grillé, fines herbes, ail...)
> Yogourt nature (pour les salades d'œufs, de thon, de poulet ou de crevettes)

Si vous choisissez des condiments liquides, comme la salsa ou la vinaigrette, emportez-les dans un contenant à part et ajoutez-les à votre sandwich à la dernière minute. Ajoutez les condiments liquides entre la viande et la laitue plutôt que directement sur le pain, afin de ne pas détremper ce dernier.

## L'UNIVERS DES SALADES-REPAS

Il n'y a pas que le sandwich dans la vie. Il y a aussi les salades-repas!

Plutôt que de remplir votre bol seulement de légumes, assurez-vous d'avoir un juste équilibre entre les produits céréaliers ou les féculents (riz, pâtes, couscous, pommes de terre...), les protéines (poulet, œufs, crevettes, fromage, légumineuses, noix...) et les légumes.

### Osez varier les laitues

C'est le meilleur remède contre la monotonie! Il existe près de 100 variétés de laitues. Chacune possède une apparence, une texture et un goût différents. Les laitues aux saveurs plus prononcées ajouteront du piquant à vos salades, et sont souvent plus nutritives que la romaine. Plus leur couleur verte est foncée, plus elles seront riches en antioxydants bénéfiques pour prévenir le cancer et les maladies du cœur.

### Petit guide pour réveiller vos salades:

> **Chicorée**: petites feuilles vert pâle, dentelées et pointues. Saveur amère.
> **Cresson**: petites feuilles vert foncé. Saveur amère et piquante.
> **Endive**: feuilles charnues, blanchâtres, étroites et longues. Saveur amère.
> **Oseille**: feuilles larges et arrondies. Saveur très citronnée.
> **Pourpier**: feuilles épaisses, tendres et charnues, de forme arrondie. Saveur légèrement acide.
> **Radicchio**: feuilles fermes à tige blanche et pourtour rouge. Saveur légèrement piquante.
> **Roquette**: petites feuilles vertes semblables à des feuilles de pissenlit. Saveur poivrée.
> **Scarole**: larges feuilles vertes qui frisent un peu. Saveur légèrement amère.

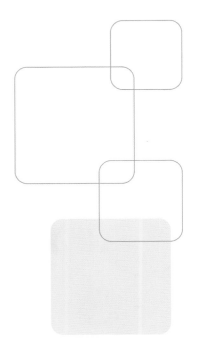

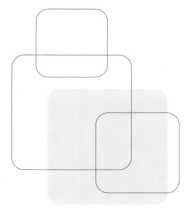

Allez-y en douceur en mélangeant les laitues amères avec des laitues plus douces comme la Boston, la romaine ou la frisée. Ajoutez ensuite une vinaigrette sucrée au miel, au sirop d'érable ou au jus de fruits pour diminuer l'amertume de votre plat. L'ajout de fruits frais permet également de bien équilibrer les saveurs. Cubes de mangue, morceaux de fraise, boules de melon, tranches de poire... Combinez les fruits et les légumes pour des salades hautes en couleurs!

Les mescluns, des mélanges de laitues, sont d'excellents dépanneurs. Savoureux et variés, ils se transforment en mille et un repas en un tournemain. Je ne m'en lasse jamais. Tantôt je garnis le mesclun de bonnes tomates cerises, d'huile et de vinaigre balsamique pour accompagner un sandwich, alors qu'à d'autres moments j'ai envie qu'il soit la vedette de ma boîte à lunch. Je l'accompagne alors de fruits frais, d'un fromage québécois et de bonnes noix grillées. Un délice!

**Pensez aux produits laitiers:**

> Du fromage **havarti** ou **brick** coupé en dés dans une salade du chef
> Du **bleu** sur un mesclun garni de poires et de noix de Grenoble
> Du **brie** sur un mesclun garni de fraises et de mangue
> Du **bocconcini** sur une salade de légumes grillés
> De la **feta** sur une salade grecque

## Attention aux vinaigrettes

Manger de la salade ne veut pas toujours dire manger santé! Une salade-repas inondée de vinaigrette peut fournir plus de gras qu'un trio burger au resto du coin. S'il reste de la vinaigrette dans le fond de l'assiette après avoir mangé la salade, c'est qu'il y en avait trop!

Aspergez votre laitue d'un peu de jus de citron. Le citron relèvera les saveurs de votre plat et vous permettra d'ajouter moins de vinaigrette. Vous pouvez également diluer vos vinaigrettes avec des jus de fruits. Le jus d'orange se marie bien avec les vinaigrettes asiatiques au sésame, le jus de pomme avec les vinaigrettes à l'érable et le jus de canneberge avec les vinaigrettes balsamiques. Vous pouvez aussi couper vos vinaigrettes crémeuses avec du yogourt nature. Vous manquez de temps? Choisissez des vinaigrettes du commerce réduites en gras ou sans gras.

## Vinaigrettes santé

Je propose plusieurs recettes de vinaigrettes pour garnir les salades de ce livre. Rien ne vous empêche de préparer seulement la vinaigrette et de la servir avec une autre salade.

## Aide-mémoire

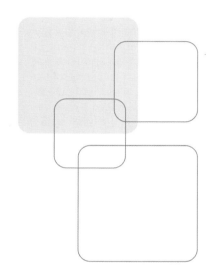

## BUVEZ!

Même une légère déshydratation peut affecter la concentration et provoquer des étourdissements, des maux de tête et de la fatigue. Qui a besoin de cela dans sa journée?

Pensez à consommer environ 2 litres d'eau par jour, répartis sur toute la journée. Conservez une bouteille d'eau ou une gourde avec vous et buvez régulièrement.

### Quoi boire?

En tout temps, favorisez l'eau. Limitez les jus de fruits, même les jus à 100 %. Ils représentent une source de sucre superflu et sont dépourvus de fibres. Évitez les boissons, cocktails, punchs et autres liquides sucrés à saveur de fruits.

Lorsqu'il n'y a pas de boisson dans la marge à la droite des recettes, ajoutez tout simplement un verre d'eau à votre lunch.

### Accro à la caféine?

Saviez-vous qu'on devrait se limiter à trois petits cafés par jour? Au-delà, les effets secondaires associés à la caféine commencent à se faire sentir: irritabilité, maux de tête, problème de concentration et de tolérance au stress, insomnie ou sommeil peu récupérateur...

Si votre consommation est actuellement plus élevée, ne la réduisez pas du jour au lendemain. Votre corps, habitué à sa dose quotidienne de stimulant, sera alors en sevrage et il manifestera son mécontentement par des maux de tête et de la somnolence! Donnez-vous environ 3 semaines pour réduire votre consommation.

Voici quelques trucs pour y arriver: combinez moitié café régulier-moitié café décaféiné directement dans la cafetière, faites-vous des cafés au lait contenant peu de café et beaucoup de lait, ou alternez les cafés avec des boissons sans caféine ou de l'eau.

### Les boissons énergisantes

*Guru, Hype, Red Bull* et *KMX* sont les marques les plus connues. Ces petites canettes allongées ou futuristes vendues dans les distributrices, les dépanneurs et les centres sportifs contiennent souvent plus de sucre qu'une boisson gazeuse et aussi du guarana, une plante exotique deux fois plus riche en caféine que le grain de café. Ces boissons ne sont donc pas aussi inoffensives qu'elles en ont l'air... *Soyez vigilant.*

D'ici janvier 2010, les fabricants de boissons énergisantes devront prouver à Santé Canada que leurs produits sont sécuritaires

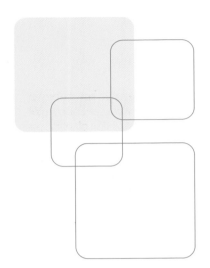

selon le Règlement sur les produits de santé naturels. De plus, ils devront émettre des recommandations d'usage ainsi que des mises en garde par rapport à leurs produits.

### Gare aux fausses gourdes!

Qui n'a pas déjà réutilisé une bouteille d'eau de source? Ces bouteilles de plastique ne sont pas des gourdes et n'ont pas été conçues pour être remplies à plusieurs reprises. Une étude a démontré que des échantillons d'eau prélevés dans des bouteilles réutilisées étaient contaminés par des bactéries (provenant probablement des mains ou de la bouche de l'usager). On a aussi constaté que des produits chimiques peuvent se détacher du plastique pour se retrouver en petite quantité dans l'eau. Pour ces raisons, l'Association canadienne des eaux embouteillées conseille de ne pas réutiliser ces bouteilles. Pour transporter l'eau au bureau, dans la voiture ou dans votre sac à dos, prenez plutôt une gourde lavée quotidiennement avec de l'eau savonneuse chaude. Le plastique des gourdes est conçu pour être réutilisé et plusieurs vont même au lave-vaisselle.

### Adieu bouteille d'eau!

Saviez-vous que les bouteilles d'eau de source qui ne sont pas recyclées finissent leur vie dans les sites d'enfouissement de déchets et prennent plus de 1 000 ans à se désintégrer? Pourtant, les Québécois sont de grands consommateurs d'eau en bouteille. Pour donner un coup de pouce à l'environnement, procurez-vous plutôt une gourde lavable que vous remplirez vous-même d'eau. Ce petit effort deviendra rapidement une habitude bien ancrée. De plus, sachez que l'eau en bouteille coûte 5 000 fois plus cher que l'eau du robinet, pour une qualité équivalente. Un geste écologique et économique!

### Incapable de vous priver de boissons gazeuses?

Ce n'est plus un secret, les boissons gazeuses sont très sucrées et ne sont pas du tout nutritives. Une canette de 355 ml (12 oz) contient l'équivalent de 40 ml (8 c. à thé) de sucre. Toutefois, si vous êtes incapable de les éviter complètement, choisissez des boissons diètes ou considérez-les comme un dessert. Bien que les boissons diètes ne contiennent ni sucre ni calories, elles entretiennent tout de même un goût pour le sucre et les aliments sucrés.

Si vous prenez une boisson gazeuse régulière avec votre repas en plus d'un dessert, c'est comme si vous preniez deux desserts! Choisissez l'un ou l'autre et diminuez progressivement les portions. De plus, méfiez-vous des très grands verres offerts dans les cinémas et certains restaurants: ils équivalent à 4 canettes de boisson gazeuse ou 160 ml (32 c. à thé) de sucre. Tout un dessert!

### L'eau manque de goût?

Pour l'aromatiser, ajoutez-lui des feuilles de menthe fraîches, des tranches de citron ou d'orange ou même des morceaux de fruits. Des framboises, des pêches ou des bleuets surgelés remplaceront les glaçons et diffuseront tout doucement leur arôme dans l'eau. Une façon originale et savoureuse qui vous donnera envie de boire les 6 à 8 verres d'eau nécessaires pour bien vous hydrater quotidiennement.

### Eau à valeur ajoutée?

De nouvelles versions d'eaux embouteillées ont fait leur apparition sur le marché. Ces eaux contiennent différents arômes, des vitamines et des édulcorants artificiels (tels que l'aspartame). Leur saveur agréable peut encourager à boire davantage, ce qui est bien. Mais vérifiez bien le tableau d'information nutritionnelle puisque certaines bouteilles contiennent du sucre, ingrédient qu'on ne devrait pas retrouver dans une bouteille d'eau! D'autres contiennent des plantes médicinales: ginseng, millepertuis, échinacée... Cependant, en consultant l'étiquette, on constate que les quantités de plantes ajoutées sont habituellement minimes, donc sans effet. Leur ajout ne sert qu'à mousser les ventes et hausser le prix de la boisson!

## L'HEURE DE LA COLLATION

Si vous avez faim entre deux repas, ne vous privez pas de manger. La collation sert à stabiliser votre appétit et votre niveau d'énergie.

### Visez les bonnes cibles

Chaque rentrée scolaire, de nouvelles idées de collation font leur apparition à l'épicerie. Entre la barre bonbon enrobée de chocolat et la barre de céréales et de noix, le choix santé est évident. Cependant, plusieurs barres aux allures santé peuvent vous tromper. Vous ne savez pas laquelle choisir? Et ces craquelins, sont-ils bons ou non? Fiston vous demande d'acheter ces biscuits... mais est-ce un dessert ou une collation?

Un coup d'œil rapide au tableau de la valeur nutritive vous donnera l'heure juste sur ce qui se cache derrière l'emballage.

Les **portions** prennent du poids! **En 1955**, le seul format de boisson gazeuse offert chez McDonald's était de **7 oz (200 ml)**. **En 2007**, le format pour enfant contient **12 oz (350 ml)** et le format moyen pour adulte atteint **21 oz (600 ml)**!

Pour une collation, visez la règle des 3: environ 3 g de protéines, 3 g de gras, 30 g de glucides, 3 g de fibres et 300 mg de sodium. Des cibles faciles à retenir pour ne pas passer des heures devant les étalages!

**La collation idéale contient...**
> **Protéines**: environ 3 g par portion
> **Lipides**: environ 3 g par portion
> **Glucides**: environ 30 g par portion
> **Fibres**: environ 3 g par portion
> **Sodium**: environ 300 mg par portion

Ne vous fiez pas seulement aux messages écrits en gros sur les emballages. Ce sont les petits caractères qui vous disent toute la vérité sur le produit. Soyez rusé!

Jetez un coup d'œil à la liste des ingrédients. Plus elle est courte et composée d'aliments connus, mieux c'est. L'aliment du commerce ressemblera alors davantage à ce que vous auriez cuisiné à la maison.

Méfiez-vous des collations riches en matières grasses telles que les croustilles et autres grignotines, les pâtisseries, les gâteaux, les barres granola commerciales, les biscuits, les muffins commerciaux et le chocolat. Ces aliments sont peu nutritifs et souvent très riches en gras et en sucre. Ils vont vous assommer plutôt que de vous stimuler.

**UN LUNCH VERT**

En préparant 250 boîtes à lunch par année, chaque petite habitude que vous modifiez peut donner un grand coup de pouce à notre planète.
> Choisissez une boîte à lunch réutilisable en plastique ou en tissu au lieu de sacs de papier ou de plastique jetables.
En plus d'être écologiques, les boîtes à lunch isolantes conservent mieux la fraîcheur des aliments et les protègent contre les chocs.
> Servez-vous de récipients de plastique réutilisables pour les sandwiches, les crudités, le fromage et les autres accompagnements. Évitez toutefois de réutiliser les anciens contenants de margarine, de yogourt, de fromage cottage ou de mets chinois. Le plastique de ces contenants n'est pas conçu pour être réutilisé. Des particules toxiques peuvent se détacher du produit et se retrouver dans les aliments, surtout si le contenu est chauffé. De plus, ils sont souvent peu résistants et peu hermétiques.
> Prenez des cuillères ou des fourchettes de métal ou de plastique réutilisables au lieu des ustensiles de plastique jetables.
> Apportez l'eau, le lait et le jus dans une gourde réutilisable. Évitez les bouteilles

d'eau jetables. Limitez les petits jus en boîte de carton et recyclez-les lorsque vous en consommez.

> Achetez les aliments en grosse quantité et transvidez-les dans de petits contenants réutilisables. Par exemple, privilégiez le yogourt en pots de 750 g plutôt que les contenants individuels de 100 g. Un petit effort qui vous fera économiser et qui protègera l'environnement.

> Évitez les emballages superflus: les mini-portions de fromage ou les biscuits préemballés sont pratiques, mais les variétés sont plus limitées et ils produisent plus de déchets.

> Si vous n'avez pas accès à un frigo pour conserver les restes, un autre truc écolo consiste à bien évaluer vos besoins et à éviter d'emporter trop d'aliments qui serviront à «nourrir la poubelle».

> Et pourquoi ne pas demander qu'on place des bacs de recyclage dans la cafétéria de l'école ou au travail?

## LES RESTES DE LA VEILLE

Préparez des portions supplémentaires de votre souper et congelez-les en portions individuelles. En cuisinant des recettes santé, vous aurez les «surgelés» les plus savoureux et équilibrés en ville!

### Vive le thermos!

Le thermos à large ouverture offre une foule de possibilités pour la boîte à lunch. Il permet d'emporter des plats chauds, que ce soit un reste du repas de la veille ou une bonne soupe maison. En plus, pas besoin de faire la file devant le four à micro-ondes!

Voici un bon truc pour que votre repas demeure bien chaud jusqu'au dîner. Avant de remplir le thermos de nourriture, réchauffez-le en y versant de l'eau bouillante. Laissez reposer quelques instants, jetez l'eau et ajoutez la nourriture préalablement chauffée. Le thermos conservera sa chaleur plus longtemps.

Les thermos incassables en acier sont efficaces, mais plutôt chers (environ 30 $ pièce). On peut opter pour les thermos en plastique qui conservent moins longtemps la chaleur, mais qui sont plus abordables. Idéal si votre petit a tendance à égarer sa boîte à lunch!

Les viandes grillées, les plats de poisson et les légumes sautés ou à la vapeur seront franchement décevants une fois réchauffés le lendemain. Ils ne résistent pas bien à une double cuisson. Les viandes seront dures, le poisson sec et les légumes mous.

Voici quelques idées qui méritent une «deuxième vie». Plusieurs de ces plats sont même meilleurs une fois réchauffés!

> Plats de pâtes alimentaires (spaghetti sauce bolognaise, lasagne, ravioli...)
> Pâté chinois
> Plats mijotés, pot-au-feu, fricassée, ragoûts, osso buco
> Viandes braisées
> Viandes hachées (pain de viande et boulettes de viande)
> Chili mexicain (végé ou con carne)
> Pâté au poulet, au saumon, à la viande
> Quiche ou fritatta
> Cari de poulet
> Riz aux légumes ou au poulet, paella, jambalaya, risotto
> Soupes et potages

## LES REPAS SURGELÉS: UNE BONNE IDÉE?

Économiques, pratiques et variés, les repas surgelés ont tout pour séduire. Il suffit d'ouvrir le congélateur et la question du lunch est réglée. Le seul hic: l'aspect santé de ces mets.

**Lesquels choisir?**

À l'épicerie, les allées réservées aux surgelés se sont multipliées au cours des dernières années. Des surgelés, en voulez-vous? Il y en a... des bons comme des moins bons! Souvent très gras et salés, ils ne contiennent pas tous assez de protéines et de légumes pour constituer un repas complet.

Lisez bien le tableau d'information nutritionnelle avant de faire votre choix et retenez ces cibles: plus de 15 g de protéines, moins de 10 g de gras et moins de 600 mg de sodium par repas. Si, à l'œil, vous estimez que le repas ne contient pas au moins 125 ml (1/2 tasse) de légumes, complétez-le avec des crudités, une salade ou un jus de légumes. Ajoutez aussi un yogourt ou un morceau de fromage, et le tour est joué!

## 70%

**7** Canadiens sur **10** prennent au moins **une collation** par jour.

## > L'équation parfaite

Pour composer une collation énergisante, choisissez un aliment dans chaque colonne.

| Fruits, légumes ou produits céréaliers | Source de protéines |
| --- | --- |

### Fruits
> Tous les fruits frais
> Fruits en conserve (dans le jus, non dans le sirop)
> Compotes de fruits (plusieurs mélanges de fruits disponibles, choisir ceux sans sucre ajouté)
> Salade de fruits maison
> Salade de petits fruits surgelés (fruits surgelés du commerce saupoudrés de cannelle et d'un soupçon de cassonade)
> Fruits séchés (raisins, canneberges, dattes, abricots, pommes, figues)
> Barres aux fruits séchés (de type *Fruit-to-Go*)
> Jus de fruit pur à 100 %

### Légumes
> Tous les légumes en crudités
> Jus de légumes

### Produits céréaliers
> Muffins maison, biscuits ou galettes maison
> Pain maison (aux bananes, à la citrouille, aux carottes)
> Biscuits aux figues
> Biscuits Thé social, *Graham* ou à l'*arrow-root*
> Bâtonnets au sésame et bâtonnets Grissol, Melba
> Céréales à déjeuner (à grignoter sans lait)
> Tortillas de maïs (cuites au four)
> Galettes de riz, galettes de riz miniatures
> Bretzel (réduits en sel)
> Barres granola faibles en gras

### Produits laitiers
> Lait (berlingot, bouteille ou gourde)
> Boisson de soya ou de riz (enrichie de Calcium et vitamine D)
> Yogourt à boire
> Yogourt individuel ou en tube
> Tous les types de fromage (moins de 20 % m.g. de préférence)
> Fromage cottage nature ou parfumé de fines herbes
> Fromage frais aux fruits (de type *Minigo*)
> Trempettes maison ou commerciales à base de yogourt ou de fromage frais
> Dessert au lait maison (pouding, tapioca, blanc-manger)

### Viandes et substitut
> Beurre d'arachide, d'amandes ou de noix
> Noix rôties à sec
> Graines de soya grillées
> Œuf cuit dur
> Morceaux de jambon ou de poulet cuit
> Tartinade au tofu
> Hummus (tartinade de pois chiches)

## 50%

**Un Québécois sur deux**
mange au resto deux fois ou
plus par semaine.

**Aide-mémoire**
**Le surgelé contient-il...**

> plus de 15 g de protéines?
> moins de 10 g de lipides?
> moins de 600 mg de sodium?
> au moins 125 ml (1/2 tasse) de légumes?
> du fromage en quantité suffisante?

Les surgelés devraient être vus comme des dépanneurs que l'on mange à l'occasion. Si vous en consommez tous les jours, votre alimentation risque de souffrir d'un manque de variété tout en étant trop salée et trop grasse... Sans compter tous les additifs qui composent ces mets et qu'on ne retrouve pas dans la cuisine maison.

## BIEN MANGER AU RESTAURANT

Manger au restaurant rime trop souvent avec mégaportions, fritures, peu de fruits et légumes, sauces riches, mets salés et desserts gigantesques... Que vous fréquentiez les restaurants chaque midi pour affaires, ou quelques fois par mois pour vous faire plaisir, dites-vous qu'il est possible de manger santé, sans se priver!

**Avant de commander**
Avez-vous assez faim pour la table d'hôte?

Si vous optez pour une entrée copieuse, compensez par un plat principal plus léger. Les portions sont trop généreuses? Choisissez deux entrées plutôt qu'un seul plat trop riche ou partagez votre portion avec un ami.

**Lisez entre les lignes**
Il peut être difficile de prédire la composition de votre assiette avant qu'elle vous soit servie. Le jargon culinaire vous permet tout de même d'en avoir une petite idée. Les mots *grillé, braisé, cuit dans son jus, poché, cuit à la vapeur, sauté* sont habituellement associés à des mets santé. Les mots *frit, nappé, enrobé, pané, au beurre, en sauce* sont par contre associés à des mets plus gras.

**Pas de resto sans client**
En tant que client, vous êtes la raison d'être du restaurant. N'ayez pas peur de poser des questions, d'exprimer vos désirs et de demander des petites faveurs. Plutôt que de devoir choisir entre la frite et la salade en accompagnement, pourquoi ne pas demander un peu des deux? On peut aussi vous servir la sauce ou la vinaigrette à part. Si vous fréquentez souvent le même endroit, pourquoi ne pas demander carrément d'ajouter tel ou tel mets au menu?

## 20%

**Un Québécois sur cinq** affirme qu'il n'a jamais le temps de cuisiner.

Plus la clientèle s'intéressera aux choix santé, meilleure sera l'offre. Nous avons tous le pouvoir de changer le visage des restos!

### Allez voir ailleurs!

On compte plus de 6 000 restos dans la grande région de Montréal. Après New York, c'est la ville qui possède le plus grand nombre de restaurants par habitant en Amérique du Nord. On snobe vos demandes spéciales? On vous facture un supplément pour un accompagnement modifié ou un dessert partagé? Le contenu de votre assiette ne correspond pas à ce que vous avez commandé? N'insistez pas. Encouragez plutôt les restos où l'on vous écoute vraiment et où il est facile de manger sainement.

### Écoutez votre faim

Les restaurateurs en mettront toujours plus dans l'assiette pour satisfaire le client. La grosseur des portions augmente d'année en année. Plus les assiettes sont grosses, plus on mange... sans même s'en rendre compte! Fiez-vous plutôt à votre appétit et non à la grosseur de votre portion. Mangez lentement et apprenez à arrêter au bon moment. N'est-il pas désagréable de sortir de table le ventre gonflé, le corps lourd et fatigué?

### La note finale

Évidemment, vous pouvez y aller avec un dessert plus santé comme un yogourt, un sorbet ou une coupe de fruits frais. Quoi qu'il en soit, vous avez bien raison de vous laisser séduire à l'occasion par un dessert sucré... c'est si bon! Partager son dessert? Voilà une bonne façon de terminer son repas sur une note sucrée sans se sentir trop bourré!

### LA BOÎTE À LUNCH DES ENFANTS

Par souci d'économie ou parce qu'on n'a tout simplement pas le choix, la boîte à lunch est incontournable de la maternelle à la 5e année du secondaire.

De nombreuses écoles ne disposent pas de service de cafétéria alors que, dans d'autres, la bouffe qu'on y sert ne plaît peut-être pas à votre jeune. Ou serait-ce parce que, pressé et affamé, il préfère engloutir son lunch plutôt que de faire la file? Peu importe la raison, voici quelques trucs pour surmonter avec brio le défi des boîtes à lunch des enfants et des ados.

**La règle d'or:** consultez et faites participer votre enfant à la préparation des lunchs. Vous connaîtrez mieux les goûts de votre jeune et pourrez lui transmettre vos valeurs, en douceur.

Ne bannissez pas la malbouffe du quotidien de votre enfant. Souvenez-vous que de l'interdit naît l'intérêt. Définissez plutôt la fréquence de consommation de ces aliments. Puisque la malbouffe ne disparaîtra pas de sitôt, mieux vaut apprendre à la côtoyer intelligemment. Après tout, on apprécie encore mieux des bonnes frites lorsqu'on les désire vraiment.

Les papilles des jeunes adorent les saveurs intenses, très sucrées ou très salées, propres à la malbouffe. Pour que la boîte à lunch santé de votre enfant arrive à rivaliser, assurez-vous qu'elle déborde de saveurs et de couleurs. Stimulez ses cinq sens et cultivez ses papilles!

Si l'école n'a pas de politique alimentaire pour la boîte à lunch, établissez vos propres critères et maintenez le cap. Entendez-vous avec votre enfant sur le contenu de son lunch. Par exemple, votre «politique alimentaire maison» pourrait être d'inclure au moins un fruit et un légume chaque jour et de limiter à une fois par semaine les petits gâteaux et autres desserts sucrés.

Si votre grand boude le pain brun, pourquoi ne pas «négocier» des sandwiches faits d'une tranche de pain blanc et d'une tranche de pain brun? Ce sera un premier pas!

Misez sur les petites portions et la variété. Il est préférable d'avoir plusieurs aliments différents en petite quantité, plutôt qu'une grosse portion d'un seul aliment. L'enfant qui n'aime pas un aliment pourra opter pour les autres éléments de sa boîte à lunch tout en apprivoisant «l'intrus» que vous avez ajouté.

La nouveauté fait peur à certains enfants. Allez-y en douceur. Offrez l'aliment nouveau parmi une grande variété d'aliments aimés. Dites-vous que parfois, plusieurs tentatives sont nécessaires avant que votre enfant adopte l'aliment en question. Il ne faut pas conclure que votre jeune n'aime pas ça après un seul refus. Les goûts évoluent...

Face à la nouveauté, soyez persévérant, mais n'en faites pas tout un plat. Si votre enfant perçoit que vous menez une bataille, il risque fort de vous tenir tête et de se fermer à tout ce qui ressemble de près ou de loin à de la saine alimentation.

De plus, puisque l'estomac des enfants est petit, les collations deviennent très importantes. Ils mangent peu à la fois, mais plus souvent. Évitez les aliments bourratifs

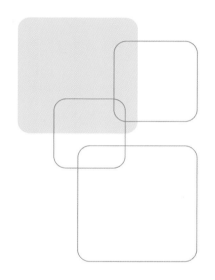

mais peu nutritifs comme les biscuits, les barres de chocolat, les roulés aux fruits et autres friandises déguisées en collation. Offrez plutôt à vos petits poux en pleine croissance des collations hyper-nourrissantes comme les muffins, les galettes et les barres tendres proposées aux pages 166 à 196.

Garnissez votre garde-manger d'une sélection de collations nutritives et laissez votre enfant choisir ses préférées. Si vous insistez trop pour «faire passer» des aliments que votre enfant n'aime pas, parions qu'il n'y touchera même pas.

Ne négligez pas les petites attentions, surtout avec les jeunes enfants. Consultez la page 37 pour ajouter un brin de folie à la boîte à lunch de votre petit!

## UN SOUCI POUR LES ALLERGIES

Bien que n'importe quel aliment puisse causer une allergie, les aliments suivants sont responsables de 90 % des réactions allergiques alimentaires:

> arachide;
> blé;
> lait;
> mollusques et crustacés;
> noix;
> œufs;
> poissons;
> protéines bovines;
> sésame;
> soya;

### Pas d'arachides au primaire!

De tous les allergènes, ce sont les arachides et les noix qui provoquent les réactions les plus violentes. En fait, selon l'Association québécoise des allergies alimentaires (AQAA), 95 % des décès causés par des allergies sont liés aux arachides et aux noix. Voilà pourquoi ces aliments sont interdits dans plusieurs écoles québécoises, une précaution inestimable pour les parents d'enfants allergiques qui peuvent partir travailler l'esprit tranquille. Un coup d'œil à la liste des ingrédients vous assurera que les aliments insérés dans la boîte à lunch sont sans danger pour les copains de vos enfants. Pensez-y!

Puisque ce livre de recettes ne s'adresse pas qu'aux enfants du primaire, je me suis permis de cuisiner avec les noix, à l'occasion. Une douzaine de recettes contiennent des noix. Toutefois, elles sont toutes clairement indiquées et les noix ne sont jamais essentielles au succès de la recette.

**56%**

des consommateurs connaissent au moins une personne avec des **allergies** aux **arachides** ou aux **noix**.

**6 à 8%**

De **6 à 8 %** des enfants et **3 %** des adolescents ont des allergies alimentaires.

**3%**

### Conseils pour TOUS les parents

Bien que les parents d'enfants allergiques connaissent et appliquent les mesures de sécurité face aux allergies (il en va de la survie de leur enfant), les autres parents ne connaissent pas toujours très bien les mesures à prendre pour éviter que leur enfant provoque une réaction allergique chez un autre enfant.

### Tout parent devrait:

> s'informer de la présence d'enfants allergiques dans la classe ou dans le cercle d'amis de son enfant;
> s'informer des allergies dont souffrent ces personnes et éviter d'inclure les aliments en question dans la boîte à lunch de son enfant, dans la mesure du possible;
> bien informer son enfant sur les allergies alimentaires et les conséquences graves de la consommation d'un allergène par un enfant allergique;
> expliquer à son enfant l'importance de ne pas échanger d'aliments avec ses amis;
> lui rappeler l'importance de se laver les mains **APRÈS** le repas, de façon à ne pas contaminer jouets, meubles et articles scolaires avec un allergène;
> s'assurer que les produits ajoutés dans la boîte à lunch à l'école primaire sont **SYSTÉMATIQUEMENT** sans arachides et sans noix — attention aux sources cachées et aux différentes appellations.

Association québécoise des allergies alimentaires: **514 990-2575** ou **www.aqaa.qc.ca**

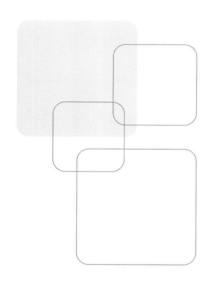

## PETITES ATTENTIONS, GRANDS PLAISIRS

Un lunch préparé avec amour fera toute la différence. Variez les couleurs, les saveurs et les textures. Une fois les cinq sens stimulés, le lunch deviendra plus appétissant.

Procurez-vous des serviettes de papier toutes les plus colorées les unes que les autres. Il n'y a rien de mieux pour égayer ces petites boîtes carrées.

Préparez les sandwiches avec créativité. Découpez-les de différentes formes à l'aide d'emporte-pièces pour préparer des biscuits.

Pour vos petits, ajoutez des autocollants amusants; pour vos grands, misez sur des mots d'encouragement le jour d'un examen ou d'une présentation orale ou annoncez-leur une permission spéciale. Sourire et appétit garantis! Vos petits curieux auront hâte d'ouvrir leur boîte à lunch pour découvrir ce que vous y aurez glissé avant de partir.

Des plats de plastique colorés, des ustensiles résistants, des gourdes amusantes... voilà autant de façons de briser l'image de monotonie associée à la boîte à lunch.

Si vous avez accès à une cuisinette ou à un espace de rangement au travail, équipez-vous d'assiettes de plastique colorées. Transvidez-y votre lunch. Vous verrez, c'est beaucoup plus inspirant que de manger dans un bol de plastique!

Pour votre propre boîte à lunch ou celle d'un adulte, procurez-vous des ensembles de napperons qui s'enroulent entre chaque utilisation et d'ustensiles assortis. Vous les trouverez dans les magasins à rayons.

# SANDWICHES

# WRAP MEXIPOLO

**PORTIONS: 4** | **PRÉPARATION: 15 MIN** | **CUISSON: 0 MIN**

## Côté pratique

Vous voulez profiter d'une aubaine sur les avocats? Sachez qu'il est possible de les congeler en purée avec du jus de citron. Ils se conserveront ainsi pendant un an. Idéal pour les tartinades de dernière minute, comme cette tartinade savoureuse. Elle changera le visage de vos sandwiches et accompagnera à merveille crudités et croustilles de maïs. Ou pourquoi ne pas en étendre sur des craquelins de blé entier?

## Côté santé

L'avocat est le seul fruit, avec les olives, à contenir des matières grasses. Une portion de fruit équivaut à 125 ml (1/2 tasse) d'avocat, soit 10 g de gras ou 15 ml (1 c. à soupe) de beurre. Par contre, ce sont surtout de bons gras pour la santé. Alors plutôt que de bouder l'avocat, faites-lui une place en réduisant les autres sources de gras de votre repas, comme le beurre, les huiles, la mayonnaise et la crème sure.

## Ingrédients

**Tartinade à l'avocat**
> 1 avocat pelé et dénoyauté
> 2 oignons verts coupés en tronçons
> Jus de 1/2 citron
> 5 ml (1 c. à thé) de cumin
> 60 ml (1/4 tasse) de coriandre fraîche
> 250 ml (1 tasse) de poulet cuit
  (ou de thon)
> 1 trait de sauce piquante
  (de type tabasco)
> Sel et poivre

> 4 tortillas aux tomates séchées
> 125 ml (1/2 tasse) cheddar râpé
> 1 tomate en dés
> 250 ml (1 tasse) de laitue frisée hachée

## Préparation

1. Au robot culinaire, réduire tous les ingrédients de la tartinade à l'avocat en une purée lisse et crémeuse.
2. Étendre cette garniture sur toute la surface de chaque tortilla.
3. Ajouter le fromage, la tomate et la laitue au centre de chaque tortilla.
4. Rouler les tortillas et couper chaque wrap en 2, au centre et de biais.
5. Emballer dans une pellicule plastique. Garder au froid jusqu'au repas.

## Valeur nutritive
(par portion)

| | |
|---|---|
| Énergie | 211 calories |
| Protéines | 17 g |
| Matières grasses | 11 g |
| Glucides | 13 g |
| Fibres alimentaires | 4,5 g |
| Sodium | 236 mg |
| Fer | 1,7 mg |
| Calcium | 101 mg |
| Oméga-3 | 0,1 g |

Cubes de mangue fraîche ou surgelée

Salsa de maïs
*(recette p. 88)*

Yogourt aux fruits

Pointes de tortillas croustillantes
*(recette p. 210)*

*Source élevée de fibres.*
*Source de fer et de calcium.*

# SALADE DE POULET À L'INDIENNE

**PORTIONS: 4**   **PRÉPARATION: 15 MIN**   **CUISSON: 0 MIN**

## Côté pratique

La pâte de cari rouge, vendue en pot dans la plupart des épiceries, est un condiment indien très polyvalent. Cette pâte, douce ou piquante, se conserve plusieurs mois au frigo. Une seule cuillère parfumera délicieusement vos garnitures à sandwich ou vos trempettes. C'est un mélange de plusieurs épices, dont le piment fort, utilisé en quantité variable selon l'intensité du cari. Il contient aussi du cumin, des graines de coriandre, du curcuma, du poivre, du clou de girofle, de la cannelle...

## Côté santé

Quelques feuilles de cresson, au goût frais et poivré, donneront du tonus à ce sandwich. À l'époque de l'Empire romain, les gens se gavaient de cresson, croyant que cet aliment pouvait prévenir... la calvitie! Il n'en est rien, mais nous connaissons aujourd'hui de meilleures raisons d'en consommer. Le cresson regorge de vitamines et de minéraux (encore plus que l'épinard) et contient des antioxydants, aux propriétés anticancéreuses.

## Ingrédients

> 175 ml (3/4 tasse) de yogourt nature
> 7 ml (1/2 c. à soupe) de pâte de cari rouge (douce ou piquante, au choix)
> 60 ml (1/4 tasse) de ciboulette hachée
> Sel et poivre
> 1 branche de céleri hachée
> 1 pomme verte hachée
> 500 ml (2 tasses) de poulet cuit, haché
> 16 pitas miniatures

## Préparation

1. Dans un bol, mélanger le yogourt, le cari et la ciboulette. Saler et poivrer, au goût.
2. Ajouter le céleri, la pomme et le poulet, et bien mélanger.
3. Diviser la préparation en 4 portions et garder au froid jusqu'au repas.
4. Compter 4 pitas par personne. Au moment de servir, garnir chaque pain pita miniature de quelques cuillères de salade de poulet à l'indienne et déguster.

## Valeur nutritive
(par portion)

| | |
|---|---|
| Énergie | 239 calories |
| Protéines | 27 g |
| Matières grasses | 4 g |
| Glucides | 25 g |
| Fibres alimentaires | 3,5 g |
| Sodium | 287 mg |
| Fer | 2,1 mg |
| Calcium | 117 mg |
| Oméga-3 | 0,1 g |

## COMPLÉTEZ VOTRE BOÎTE À LUNCH

Raisins rouges

Bouquets de brocoli

Raïta
*(recette p. 212)*

Biscuits énergie
*(recette p. 176)*

> *Bonne source de fer.*
> *Source de fibres et de calcium.*

# SANDWICH VÉGÉ DE LUXE

**PORTIONS: 4** | **PRÉPARATION: 15 MIN** | **CUISSON: 0 MIN**

## Côté pratique

Au marché, préférez un ananas dont l'écorce est bien jaune plutôt que verte. Ensuite, sentez l'ananas. Une odeur agréable, mais intense, signifie que l'ananas est trop mûr, voire fermenté. Finalement, regardez sous l'ananas. Des moisissures, des taches foncées ou des parties molles ne mentent pas — vous seriez déçu une fois arrivé à la maison!

## Côté santé

À l'épicerie, il y a des pains à 6, 9, 12 ou même 14 céréales. Plus il y a de grains, plus il y a de fibres, croyez-vous? Hélas, le nombre de grains n'influe en rien la teneur en fibres du pain. La recette de tous les pains multigrains est sensiblement la même: 80 % de farine et 20 % de grains. Si on ajoute plus de grains, le pain ne lèvera pas! Recherchez plutôt des pains contenant au moins 3 g de fibres par tranche.

## Ingrédients

> 30 ml (1 c. à soupe) de pesto de tomates séchées
> 8 tranches épaisses de pain croûté multigrain
> 60 ml (1/4 tasse) de mayonnaise au tofu *(recette p. 108)*
> 16 tranches de tomates épépinées (environ 2 tomates)
> 16 feuilles de basilic frais
> 16 minces tranches de concombre
> 4 tranches de provolone
> 4 feuilles de laitue frisée

## Préparation

1. Étendre le pesto de tomates séchées sur chaque tranche de pain.
2. Répartir la mayonnaise sur 4 tranches de pain. Ajouter les tomates, le basilic, le concombre, le fromage et la laitue.
3. Refermer les sandwiches en ajoutant les 4 autres tranches de pain. Emballer individuellement et garder au froid jusqu'au repas.

### Valeur nutritive
(par portion)

| | |
|---|---|
| Énergie | 309 calories |
| Protéines | 17 g |
| Matières grasses | 14 g |
| Glucides | 30 g |
| Fibres alimentaires | 5,4 g |
| Sodium | 623 mg |
| Fer | 2,5 mg |
| Calcium | 299 mg |
| Oméga-3: | 0,2 g |

Jus d'orange

Ananas frais ou surgelé, en dés

Bâtonnets de céleri

Fromage aux herbes et aux olives *(recette p. 218)*

> *Excellente source de calcium.*
> *Bonne source de fibres et de fer.*

# CIABATTA À LA MOUSSE DE SAUMON

**PORTIONS: 4** | **PRÉPARATION: 15 MIN** | **CUISSON: 0 MIN**

## Côté pratique

Populaire, le sandwich! Cependant, lorsqu'il est servi jour après jour, il risque de perdre un peu de son attrait. Pour éviter de s'en lasser, variez le type de pain. J'adore le pain ciabatta. C'est un pain croûté avec une mie bien alvéolée, idéal pour les sandwiches. Dans cette recette, vous pouvez le remplacer par de la baguette ou n'importe quel autre pain, selon vos préférences. Après tout, ce n'est pas le choix qui manque!

## Côté santé

Le saumon, le tofu et la ricotta confèrent à cette tartinade son côté à la fois crémeux et santé. Ces trois aliments fournissent une bonne dose de protéines, du calcium et plusieurs autres éléments nutritifs. Le saumon ajoute sa part d'oméga-3, tandis que le tofu apporte les phytoestrogènes et les isoflavones propres au soya. Le plus merveilleux dans tout ça? Vous aimerez cette recette d'abord et avant tout pour son goût!

## Ingrédients

**Mousse au saumon**
> 125 ml (1/2 tasse) de ricotta
> 150 g (5 oz) de tofu soyeux, mou
> 1 boîte de 213 g (7 1/2 oz) de saumon émietté, égoutté, peau et arêtes enlevées
> Jus de 1 citron
> 30 ml (2 c. à soupe) de câpres hachées
> 30 ml (2 c. à soupe) d'aneth frais, haché
> 1 échalote française hachée
> Sel et poivre

> 4 pains ciabattas de blé entier
> Aneth frais (facultatif)
> 16 minces tranches de concombre
> 4 feuilles de laitue frisée

## Préparation

1. Au robot culinaire, réduire la ricotta, le tofu et le saumon en une purée crémeuse et homogène.
2. Verser dans un bol, ajouter le jus de citron, les câpres, l'aneth et l'échalote. Saler et poivrer, au goût.
3. Couper les pains en 2 dans le sens de la longueur. Tartiner 125 ml (1/2 tasse) de mousse sur chaque moitié de pain, garnir d'aneth frais (au goût), de tranches de concombre et de laitue frisée.
4. Refermer le pain, emballer et garder au froid jusqu'au repas.

## Valeur nutritive
(par portion)

| | |
|---|---|
| Énergie | 291 calories |
| Protéines | 25 g |
| Matières grasses | 9 g |
| Glucides | 29 g |
| Fibres alimentaires | 4,5 g |
| Sodium | 530 mg |
| Fer | 2,7 mg |
| Calcium | 286 mg |
| Oméga-3 | 1,2 g |

Kiwis

Lanières de poivron rouge

Cubes de havarti

Pain à l'avoine et aux graines de lin *(recette p. 170)*

Bonne source de fibres, de fer et de calcium. Source d'oméga-3.

# KAISER DE PORC
# AUX POMMES

**PORTIONS: 4** **PRÉPARATION: 10 MIN** **CUISSON: 0 MIN**

## Côté pratique

Ajoutez à ce sandwich quelques
tranches de cornichons surs.
Avec les pommes et le porc,
ils formeront un trio très savoureux.
Les légumes marinés comme la
choucroute, les cornichons surs ou
à l'aneth, les olives et les betteraves
dans le vinaigre sont très salés,
puisque le sel est nécessaire à leur
conservation. Évitez d'en consommer
de grandes quantités. Employez-les
plutôt pour relever le goût d'une
recette, que ce soit une salade,
un sandwich ou un plat cuisiné.

## Côté santé

Des 10 causes de décès les plus
importantes chez les hommes, 4 sont
liées à l'alimentation: les maladies du
cœur, le cancer, les crises cardiaques
et le diabète. Pourtant, seulement
47 % des hommes considèrent qu'il
est important de bien manger.
Vous croyez que manger santé est
nécessairement fade et monotone?
Détrompez-vous, Messieurs! Ce kaiser
tout garni satisfera les papilles les
plus exigeantes.

## Ingrédients

> 4 pains kaiser de blé entier
> Moutarde de Meaux
> 12 minces tranches de rôti de porc frais
(environ 200 g / 7 oz)
> 2 pommes coupées en tranches
> 4 tranches de provolone
> 250 ml (1 tasse) d'épinards

## Préparation

1. Tartiner les pains de moutarde, au goût.
2. Ajouter le rôti de porc, les pommes,
le fromage et les épinards. Refermer
le pain en pressant légèrement pour
bien sceller les pommes entre le porc
et le fromage, afin d'éviter qu'elles
noircissent.
3. Emballer et garder au froid
jusqu'au repas.

## Valeur nutritive
(par portion)

| | |
|---|---|
| Énergie | 377 calories |
| Protéines | 29 g |
| Matières grasses | 14 g |
| Glucides | 34 g |
| Fibres alimentaires | 6 g |
| Sodium | 601 mg |
| Fer | 2,5 mg |
| Calcium | 295 mg |
| Oméga-3 | 0,1 g |

Bleuets

Bouquets de chou-fleur et tomates cerise

fromage frais aux pêches

Délice du randonneur
*(recette p. 234)*

*Excellente source de fibres et de calcium. Source de fer.*

# PAIN DE SEIGLE AUX ŒUFS

**PORTIONS: 4** | **PRÉPARATION: 10 MIN** | **CUISSON: 12 MIN**

## Côté pratique

Vous pouvez beurrer légèrement vos tranches de pain pour les rendre imperméables et les empêcher d'être détrempées à l'heure du dîner. Cet ajout de matière grasse convient surtout aux enfants, qui ne se donneront pas la peine d'ajouter à la dernière minute les tomates, les condiments humides ou les garnitures à base de ricotta ou de yogourt.

## Côté santé

Dans vos garnitures à sandwich, remplacez la mayo par de la ricotta. Ajoutez 80 ml (1/3 tasse) de ricotta à 3 œufs durs pilés, à 250 ml (1 tasse) de poulet cuit et haché, ou à 1 boîte de thon pâle égoutté. Ajoutez ensuite 5 ml (1 c. à thé) de moutarde de Dijon et assaisonnez avec de la ciboulette, du sel et du poivre. Vous aurez une garniture riche en calcium et contenant quatre fois moins de gras qu'une garniture à base de mayonnaise!

## Ingrédients

**Garniture aux œufs**
> 6 œufs
> 125 ml (1/2 tasse) de ricotta allégé
> 15 ml (1 c. à soupe) de moutarde de Dijon
> 5 ml (1 c. à thé) d'oignons déshydratés (facultatif)
> 5 ml (1 c. à thé) de fines herbes au citron (mélange du commerce)
> Sel et poivre

> 8 tranches de pain de seigle
> 1 tomate tranchée et épépinée (facultatif)
> 4 feuilles de laitue frisée
> 4 tranches de fromage suisse

## Préparation

1. Placer les œufs dans une casserole, recouvrir d'eau et porter à ébullition. Calculer 10 minutes lorsque l'eau commence à bouillir. Plonger ensuite les œufs dans l'eau glacée pour stopper la cuisson. Décoquiller les œufs.
2. Dans un bol, écraser les œufs avec une fourchette ou un pilon à pommes de terre.
3. Ajouter la ricotta, la moutarde, les oignons et les fines herbes. Bien mélanger. Saler et poivrer, au goût.
4. Étendre une généreuse portion de garniture aux œufs sur 4 tranches de pain. Ajouter 2 tranches de tomate, une feuille de laitue, puis une tranche de fromage. Refermer avec l'autre tranche de pain.
5. Couper chaque sandwich en 2, emballer et garder au froid jusqu'au repas.

## Valeur nutritive
(par portion)

| | |
|---|---|
| Énergie | 326 calories |
| Protéines | 19 g |
| Matières grasses | 12 g |
| Glucides | 35 g |
| Fibres alimentaires | 4,4 g |
| Sodium | 450 mg |
| Fer | 3,8 mg |
| Calcium | 183 mg |
| Oméga-3 | 0,1 g |

## COMPLÉTEZ VOTRE BOÎTE À LUNCH

Jus de légumes à teneur
réduite en sodium

Méli-mélo aux fruits
*(recette p. 244)*

Bâtonnets
de carottes

Yogourt
aux fruits

*Excellente source de fer.*
*Bonne source de fibres et de calcium.*

# PETITS PAINS CITRONNÉS AUX CREVETTES

**PORTIONS: 4**    **PRÉPARATION: 15 MIN**    **CUISSON: 0 MIN**

## Côté pratique

En plaçant la préparation aux crevettes sur la laitue et non directement sur le pain, on évite de le détremper. Essayez de toujours placer un obstacle entre les garnitures et le pain. La laitue est pratique, santé et ajoute de la couleur au repas. Alors pourquoi pas! Dans cette recette, on remplace la mayonnaise par du yogourt et on ajoute du zeste de citron, de la ciboulette et de l'aneth pour rehausser les saveurs. Qui a dit que manger santé était ennuyant?

## Côté santé

La crevette est riche en protéines, faible en gras et contient des acides gras oméga-3, de bons gras. Que dire du cholestérol? Dans le passé, on croyait qu'il fallait bannir les aliments riches en cholestérol pour abaisser le cholestérol sanguin. De nombreuses études ont démontré depuis que le cholestérol alimentaire a peu d'influence sur le taux de cholestérol sanguin. Réduisez plutôt votre consommation de gras saturés et de gras trans.

## Ingrédients

> 375 ml (1 1/2 tasse) de crevettes décortiquées, cuites et bien égouttées
> 1 branche de céleri hachée finement
> 60 ml (1/4 tasse) de ciboulette hachée finement
> 30 ml (2 c. à soupe) de yogourt nature
> 5 ml (1 c. à thé) de zeste de citron râpé
> 5 ml (1 c. à thé) d'aneth séché
> Sel et poivre
> Margarine non hydrogénée
> 8 petits pains à sandwich
> 4 feuilles de laitue frisée coupées en 2

## Préparation

1. Hacher grossièrement les crevettes et les placer dans un bol. Ajouter le céleri, la ciboulette, le yogourt, le zeste de citron et l'aneth. Saler et poivrer, au goût.
2. Tartiner une fine couche de margarine à l'intérieur de chaque pain pour éviter que la garniture de crevette ne les détrempe.
3. Bien éponger la laitue pour enlever toute trace d'humidité. Ajouter une demi-feuille de laitue dans chaque pain puis répartir la garniture. Prévoir 2 petits pains par portion. Emballer et garder au froid jusqu'au repas.

## Valeur nutritive

(par portion)

| | |
|---|---|
| Énergie | 268 calories |
| Protéines | 27 g |
| Matières grasses | 7 g |
| Glucides | 25 g |
| Fibres alimentaires | 4,2 g |
| Sodium | 522 mg |
| Fer | 4,3 mg |
| Calcium | 123 mg |
| Oméga-3 | 0,3 g |

Oranges

Pois mange-tout
et lanières de poivron rouge

Trempette dijonnaise
*(recette p. 204)*

Purée cent façons
*(recette p. 246)*

*Excellente source de fer.*
*Source de calcium et d'oméga-3.*

# SPIRALES AU THON

**PORTIONS: 4** | **PRÉPARATION: 15 MIN** | **CUISSON: 0 MIN**

## Côté pratique

Pour varier, consommez ce sandwich en pièces détachées. Mélangez le fromage de chèvre, le yogourt et le thon dans un bol, assaisonnez et maintenez au froid jusqu'au repas. Vous pourrez tartiner cette préparation sur des craquelins de blé entier ou des toasts Melba et accompagner le tout de crudités variées. Même goût, mais *look* complètement différent!

## Côté santé

Le thon pâle, de couleur rosée, provient du thon rouge ou albacore et contient trois fois moins d'oméga-3 que le thon blanc, qui provient surtout du thon germon. Or, le thon pâle contient aussi moins de mercure que le thon blanc. Lequel choisir? Si vous ne consommez pas souvent de thon, choisissez le blanc, plus riche en oméga-3. Si vous en consommez plusieurs fois par semaine, optez plutôt pour le thon pâle.

## Ingrédients

> 125 ml (1/2 tasse) de fromage de chèvre
> 45 ml (3 c. à soupe) de yogourt nature
> 30 ml (2 c. à soupe) de basilic frais, haché
> Sel et poivre
> 4 tortillas de blé entier
> 1 boîte de 170 g (6 oz) de thon pâle émietté, égoutté
> 500 ml (2 tasses) de légumes hachés finement, au choix (carotte, oignon rouge, épinard, poivron jaune, oignon vert, tomate...)

## Préparation

1. Dans un petit bol, mélanger le fromage de chèvre, le yogourt et le basilic jusqu'à l'obtention d'une préparation onctueuse et tartinable. Saler et poivrer, au goût.
2. Étendre cette préparation uniformément sur toute la surface de chaque tortilla.
3. Répartir le thon puis les légumes hachés uniformément sur chaque tortilla, en prenant soin d'arrêter à 1,5 cm (1/2 po) du bord.
4. Rouler les tortillas en appuyant bien pour que les légumes collent au fromage.
5. Couper chaque tortilla roulée en 8 tronçons de 1,5 cm (1/2 po) d'épaisseur.
6. Conserver les spirales dans un plat de plastique. Garder au froid jusqu'au repas.

## Valeur nutritive
(par portion)

| | |
|---|---|
| Énergie | 297 calories |
| Protéines | 21 g |
| Matières grasses | 10 g |
| Glucides | 30 g |
| Fibres alimentaires | 3,2 g |
| Sodium | 488 mg |
| Fer | 3 mg |
| Calcium | 141 mg |
| Oméga-3 | 0,2 g |

## COMPLÉTEZ VOTRE BOÎTE À LUNCH

Jus de légumes à
teneur réduite en sodium

Poire

Yogourt à boire
*(recette p. 242)*

Pouding au riz
*(recette p. 236)*

> *Bonne source de fer.*
> *Source de fibres et de calcium.*

# BAGUETTE DE POULET AU CHUTNEY

PORTIONS: 4    PRÉPARATION: 10 MIN    CUISSON: 20 MIN    ATTENTE: 10 MIN

## Côté pratique

Le chutney à la mangue, condiment d'origine indienne composé de mangue, de vinaigre et de sucre, ressemble à une marmelade aux saveurs aigres-douces. Parfumé de gingembre, d'ail, de cumin et de coriandre, le chutney accompagne les grillades, les fromages et les terrines. J'aime bien m'en servir comme marinade pour la viande. Pour un repas vite fait et savoureux, faites griller une poitrine de poulet marinée dans le chutney. C'est délicieux en sandwich ou sur une salade verte!

## Côté santé

La poêle striée permet de cuire des grillades comme sur le barbecue. N'ajoutez pas de matière grasse, ni à la poêle ni à la marinade. D'ailleurs, la plupart des modèles disposent de becs verseurs afin que s'écoule le gras de la viande. Utilisez cette poêle pour créer des panini sensass, préparer des fajitas du tonnerre et des légumes grillés qui feront jaser toute la tablée! Après avoir essayé cet outil coup de cœur, vous ne pourrez plus vous en passer.

## Ingrédients

**Poulet au chutney**
> 450 g (1 lb) de poitrine de poulet (2 demi-poitrines)
> 80 ml (1/3 tasse) de chutney à la mangue

> 1 baguette de blé entier
> 80 ml (1/3 tasse) de chutney à la mangue
> 250 ml (1 tasse) de laitue Boston émincée
> 16 tranches de concombre

## Préparation

1. Dans un sac de congélation hermétique, mélanger le poulet et le chutney. Refermer le sac en retirant l'air. À l'aide d'un rouleau à pâtisserie ou d'une boîte de conserve, aplatir les poitrines à environ 1 cm (1/3 po) d'épaisseur.
2. Dans une poêle striée, à feu moyen-doux, griller le poulet environ 10 minutes de chaque côté. Laisser refroidir 10 minutes au réfrigérateur, puis trancher les poitrines en biseau.
3. Couper la baguette en 2 dans le sens de la longueur, sans séparer complètement le haut et le bas. Étendre le chutney sur le pain. Répartir ensuite les tranches de poulet sur toute la longueur. Garnir de laitue et de concombre, et refermer la baguette.
4. Couper en 4 portions, emballer individuellement et garder au froid jusqu'au repas.

## Valeur nutritive
(par portion)

| | |
|---|---|
| Énergie | 319 calories |
| Protéines | 34 g |
| Matières grasses | 3 g |
| Glucides | 38 g |
| Fibres alimentaires | 5,4 g |
| Sodium | 552 mg |
| Fer | 2,9 mg |
| Calcium | 86 mg |
| Oméga-3 | 0,1 g |

Fraises fraîches

Minicarottes

Yogourt à boire
*(recette p. 242)*

Barre granola maison
*(recette p. 172)*

*Faible en gras.*
*Bonne source de fibres et de fer.*

# CLUB AU JAMBON

| PORTIONS: 4 | PRÉPARATION: 15 MIN | CUISSON: 0 MIN |
|---|---|---|

## Côté pratique

Composer un lunch équilibré est plus facile qu'on pense! Vous n'avez qu'à choisir un aliment nourrissant dans chacun des quatre groupes du *Guide alimentaire canadien*. Il y a les légumes et les fruits; ensuite les produits céréaliers comme le pain ou les céréales; puis le lait et ses substituts comme le yogourt, le fromage et la boisson de soya; enfin les viandes et substituts, soit les aliments riches en protéines comme le poisson, la volaille, les œufs et le tofu.

## Côté santé

Les nitrites, ajoutés aux charcuteries pour en prolonger la conservation, sont réglementés. Les quantités utilisées sont jugées inoffensives, mais on connaît mal les effets d'une grande consommation de nitrites. Par précaution, limitez le bacon, le saucisson de Bologne (le baloney) et les saucisses. Le jambon contient aussi des nitrites, mais il fournit environ cinq fois moins de gras que les autres charcuteries. Ajoutez-en à vos sandwiches à l'occasion.

## Ingrédients

> 12 tranches de pain multigrain
> Moutarde de Dijon ou ordinaire
> 12 minces tranches de jambon blanc (environ 200 g / 7 oz)
> 8 tranches de tomates épépinées
> 4 feuilles de laitue frisée
> 16 minces tranches de concombre
> 250 ml (1 tasse) de carottes râpées
> 4 tranches de havarti (ou emmenthal)

## Préparation

1. Tartiner de moutarde 4 tranches de pain. Garnir de jambon, de tomates et de laitue.
2. Sur chaque sandwich, ajouter une tranche de pain et la tartiner de moutarde avant d'ajouter le concombre, les carottes et le fromage.
3. Tartiner de moutarde les 4 dernières tranches de pain. En placer une sur chaque sandwich.
4. Couper en 4 pointes, placer un cure-dent sur chaque morceau. Aligner bout à bout et envelopper d'une pellicule plastique. Garder au froid jusqu'au repas.

## Valeur nutritive
(par portion)

| | |
|---|---|
| Énergie | 362 calories |
| Protéines | 28 g |
| Matières grasses | 9 g |
| Glucides | 43 g |
| Fibres alimentaires | 7,5 g |
| Sodium | 710 mg |
| Fer | 3 mg |
| Calcium | 344 mg |
| Oméga-3 | 0,1 g |

## COMPLÉTEZ VOTRE BOÎTE À LUNCH

Jus de tomate

Pêche

Yogourt aux fruits

Pouding au riz
*(recette p. 236)*

*Excellente source de fibres et de calcium. Bonne source de fer.*

# CIABATTA AU THON À LA GRECQUE

## Côté pratique

Une simple recette de sandwich peut être renouvelée rien qu'en modifiant quelques ingrédients. Changez le type de pain ou tranchez-le différemment. Ajoutez de nouvelles garnitures ou variez les condiments. Consultez les pages 18 à 21 pour vous guider ou laissez aller votre imagination!

## Côté santé

Le tzatziki est une sauce grecque à base de yogourt auquel on ajoute de l'ail, du concombre râpé et parfois des fines herbes. Cette sauce, fraîche et savoureuse, accompagne les grillades et peut servir de trempette pour les pitas et les crudités. Le tzatziki est parfait pour varier vos sandwiches: moins gras que la mayonnaise, il ajoute beaucoup de saveur aux garnitures à base de poulet, de thon, de saumon ou d'œufs.

## Ingrédients

> 1 boîte de 170 g (6 oz) de thon pâle émietté, égoutté
> 80 ml (1/3 tasse) de tzatziki maison ou du commerce
> 4 pains ciabattas tranchés à l'horizontale
> Tapenade d'olives noires
> 8 feuilles de laitue Boston
> 8 tranches de tomates épépinées
> 16 tranches minces de concombre

## Préparation

1. Dans un bol, mélanger le thon et le tzatziki. Réserver.
2. Étendre une fine couche de tapenade à l'intérieur des pains ciabattas.
3. Bien éponger la laitue et placer 2 feuilles par pain, de façon à en recouvrir toute la surface intérieure. La laitue et la tapenade éviteront que le thon détrempe le pain.
4. Répartir la garniture au thon sur la laitue. Ajouter les tranches de tomates et de concombre et refermer les ciabattas. Emballer individuellement et garder au froid jusqu'au repas.

## Valeur nutritive

(par portion)

| | |
|---|---|
| Énergie | 217 calories |
| Protéines | 20 g |
| Matières grasses | 3 g |
| Glucides | 28 g |
| Fibres alimentaires | 5 g |
| Sodium | 340 mg |
| Fer | 2,7 mg |
| Calcium | 129 mg |
| Oméga-3 | 0,3 g |

Melon d'eau

Carottes

Tzatziki maison ou du commerce

Pain aux courgettes et aux noix de Grenoble (*recette p. 196*)

> *Bonne source de fibres et de fer.*
> *Source de calcium et d'oméga-3.*

# WRAP AU POULET MARINÉ AU CINQ-ÉPICES

**PORTIONS: 4**    **PRÉPARATION: 15 MIN**    **CUISSON: 10 MIN**

### Côté pratique

Le cinq-épices chinois est un mélange d'anis étoilé, de girofle, de fenouil, de cannelle et de poivre. Cet assaisonnement est très utilisé en Asie pour aromatiser les grillades et les sautés. Il ne faut pas le confondre avec le toute-épice (calque de l'anglais *allspice*), nom souvent donné au piment de la Jamaïque. Le quatre-épices désigne un assaisonnement européen à base de cannelle entrant dans la préparation de charcuteries: il ne convient pas à cette recette.

### Côté santé

Saviez-vous que plus de 40 éléments nutritifs sont indispensables à votre cerveau? Alors pour faire fonctionner vos neurones à 100 milles à l'heure, misez sur la variété! Un seul aliment n'aura jamais réponse à tout. C'est en consommant le plus d'aliments différents qu'on obtient la gamme la plus complète d'éléments nutritifs. Et en prime, la variété est le meilleur remède à la monotonie!

### Ingrédients

> 1 poitrine de poulet d'environ 225 g (1/2 lb), coupée en lanières
> 15 ml (1 c. à soupe) de miel
> 5 ml (1 c. à thé) de cinq-épices chinois
> 5 ml (1 c. à thé) de gingembre frais, râpé finement
> 2,5 ml (1/2 c. à thé) d'huile de sésame
> 4 tortillas de blé entier
> 250 ml (1 tasse) de jeunes pousses d'épinards
> 250 ml (1 tasse) de germes de haricots (aussi appelés fèves germées)
> 250 ml (1 tasse) de carottes râpées ou de carottes marinées à l'orange
  *(recette p. 222)*

### Sauce hoisin crémeuse

> 125 ml (1/2 tasse) de yogourt nature
> 30 ml (2 c. à soupe) de sauce hoisin (un condiment asiatique)
> 15 ml (1 c. à soupe) de miel

### Préparation

1. Dans un sac de congélation hermétique, mélanger le poulet, le miel, le cinq épices, le gingembre et l'huile de sésame. Fermer le sac et le manipuler pour bien enrober les lanières de poulet.

2. Placer les lanières de poulet sur une plaque doublée de papier-parchemin et cuire au four environ 10 minutes (position gril), ou jusqu'à ce que le poulet soit grillé.

3. Pendant ce temps, garnir chaque tortilla d'épinards, de germes de haricots et de carottes râpées. Ajouter le poulet grillé. Rouler puis emballer dans une pellicule plastique. Garder au froid jusqu'au repas.

4. Dans un bol, mélanger le yogourt, la sauce hoisin et le miel. Diviser dans 4 petits plats hermétiques pour la boîte à lunch. Garder au froid jusqu'au repas.

5. Au repas, tremper le wrap dans la sauce hoisin crémeuse et déguster.

### Valeur nutritive
(par portion)

| | |
|---|---|
| Énergie | 304 calories |
| Protéines | 21 g |
| Matières grasses | 5 g |
| Glucides | 43 g |
| Fibres alimentaires | 3,5 g |
| Sodium | 510 mg |
| Fer | 2,8 mg |
| Calcium | 167 mg |
| Oméga-3 | 0,1 g |

Poire asiatique

Lanières de poivron rouge

Ficelle de fromage

Rochers aux amandes
*(recette p. 194)*

> *Bonne source de fer et de calcium.*

# FOUGASSE AUX LÉGUMES GRILLÉS

**PORTIONS: 4** | **PRÉPARATION: 10 MIN** | **CUISSON: 0 MIN**

## Côté pratique

L'exposition à de fortes doses de pesticides a des effets néfastes sur la santé. Heureusement, les pesticides font l'objet d'un contrôle strict et ne sont présents qu'à l'état de traces sur les aliments. De plus, un lavage méticuleux des fruits et légumes permet de diminuer l'exposition aux pesticides. Alors, si vous n'avez pas les moyens de manger bio, ne vous privez surtout pas de manger des fruits et légumes. Bio ou pas, ils sont des mines d'or d'éléments nutritifs.

## Côté santé

Le saumon figure parmi les poissons les plus riches en oméga-3, au même titre que le maquereau, la sardine, le thon rouge et le hareng.
Pour profiter au maximum des bienfaits des oméga-3, il est conseillé de consommer chaque semaine deux ou trois portions de ces poissons. Les oméga-3 interviendraient dans la prévention de plusieurs cancers, dont celui du sein, de la prostate et du côlon.

## Ingrédients

> 1 fougasse aux olives
> 125 ml (1/2 tasse) de fromage à la crème de type fouetté
> 1 boîte de 213 g (7 1/2 oz) de saumon émietté, égoutté, peau et arêtes enlevées
> 375 ml (1 1/2 tasse) de légumes grillés *(recette p. 220)*
> 10 feuilles de basilic frais

## Préparation

1. Couper la fougasse en 2 sur l'horizontale. Tartiner l'intérieur de fromage à la crème, sur les 2 côtés.
2. Garnir la partie inférieure de la fougasse de saumon puis de légumes grillés. Bien couvrir toute la surface. Ajouter les feuilles de basilic en les répartissant uniformément.
3. Refermer la fougasse et bien presser pour sceller les ingrédients. Couper en 4 portions et emballer individuellement. Garder au froid jusqu'au repas.

**Valeur nutritive**
(par portion)

| | |
|---|---|
| Énergie | 338 calories |
| Protéines | 20 g |
| Matières grasses | 15 g |
| Glucides | 31 g |
| Fibres alimentaires | 6,6 g |
| Sodium | 453 mg |
| Fer | 2,7 mg |
| Calcium | 202 mg |
| Oméga-3 | 0,9 g |

Canneberges séchées

Petite salade verte et tomates cerises

Cubes de cheddar

Méli-mélo aux fruits
*(recette p. 244)*

> *Excellente source de fibres.*
> *Bonne source de calcium et d'oméga-3*

# SANDWICH AU POULET ET AU PROSCIUTTO

PORTIONS: 4      PRÉPARATION: 10 MIN      CUISSON: 2 MIN

## Côté pratique

Prenez le temps de savourer chaque bouchée! Pendant un repas, il faut environ 20 minutes à l'organisme pour évaluer ses besoins. Si vous avalez votre repas tout rond, vous risquez de manger trop sans même le ressentir. Déposez votre sandwich pendant une minute dès que vous commencez à manger trop vite. Dites-vous que le dîner est une pause plaisir que l'on s'accorde pour mieux attaquer le reste de la journée!

## Côté santé

Saviez-vous qu'une seule tranche de bacon cuite au micro-ondes ajoute 17 g de gras à votre sandwich, soit l'équivalent de 3 carrés de beurre? Remplacez plutôt le bacon par du prosciutto. Une tranche de cette charcuterie italienne contient 5 g de gras, soit trois fois moins que le bacon. Insérez le prosciutto entre deux essuie-tout et cuisez 2 minutes au micro-ondes. Il deviendra aussi croustillant que le bacon.

## Ingrédients

> 4 tranches de prosciutto
> 250 ml (1 tasse) de tartinade de légumes grillés au fromage de chèvre
> *(recette p. 220)*
> 8 tranches de pain pumpernickel
> 250 ml (1 tasse) de poulet cuit, en dés
> 4 feuilles de laitue Boston

## Préparation

1. Placer les tranches de prosciutto entre 2 essuie-tout et cuire au four à micro-ondes pendant 2 minutes. Laisser refroidir.
2. Répartir la tartinade de légumes grillés sur 4 tranches de pain. Ajouter le poulet et appuyer légèrement pour qu'il adhère bien à la tartinade.
3. Ajouter une tranche de prosciutto sur chaque sandwich, puis une feuille de laitue. Fermer les sandwiches en ajoutant une tranche de pain. Emballer et garder au froid jusqu'au repas.

## Valeur nutritive
(par portion)

| | |
|---|---|
| Énergie | 324 calories |
| Protéines | 26 g |
| Matières grasses | 8 g |
| Glucides | 37 g |
| Fibres alimentaires | 6,3 g |
| Sodium | 686 mg |
| Fer | 3,1 mg |
| Calcium | 72 mg |
| Oméga-3 | 0,1 g |

## COMPLÉTEZ VOTRE BOÎTE À LUNCH

Clémentines

Gaspacho
*(recette p. 154)*

Yogourt aux fruits

Muffins miniatures
choco-bananes *(recette p. 168)*

 *Excellente source de fibres.*
*Bonne source de fer.*

# WRAP AU RÔTI DE BŒUF

**PORTIONS: 4** | **PRÉPARATION: 15 MIN** | **CUISSON: 0 MIN**

## Côté pratique

Une deuxième vie pour les restes!
Le soir, je fais souvent cuire plus de
porc, de bœuf ou de poulet qu'il ne
m'en faut pour nourrir ma famille.
Faire cuire deux filets de porc plutôt
qu'un ou deux poitrines de poulet
de plus, ce n'est pas plus long, mais
tellement pratique. Ces viandes,
une fois cuites, peuvent être
consommées froides dans un sandwich
ou une salade, ou encore en antipasti,
accompagnées de légumes grillés,
d'olives et de fromage.

## Côté santé

La verdure foncée est plus savoureuse,
mais aussi plus nutritive. Elle contient
plus de vitamines et de minéraux.
Dans vos sandwiches, ajoutez des
feuilles de jeunes pousses d'épinards
plutôt que de la laitue iceberg.
Dans vos salades, mettez du mesclun,
un mélange de plusieurs variétés de
laitues colorées. Vous aimez la laitue
Boston? Pour relever sa valeur nutritive,
parsemez-la d'un peu de radicchio,
un légume violacé, savoureux et nutritif.

## Ingrédients

**Sauce crémeuse aux épices**
> 2,5 ml (1/2 c. à thé) de graines
  de moutarde
> 2,5 ml (1/2 c. à thé) de graines
  de coriandre
> 2,5 ml (1/2 c. à thé) de grains de poivre
> 1 ml (1/4 c. à thé) de gros sel
> 125 ml (1/2 tasse) de yogourt nature
> 60 ml (1/4 tasse) de ciboulette
  hachée finement

> 4 grandes tortillas aux tomates séchées
> 4 feuilles de laitue Boston
> 225 g (1/2 lb) de rôti de bœuf émincé
  (environ 250 ml (1 tasse))
> 1/2 poivron rouge en julienne
> 1/2 concombre en julienne
> 8 feuilles d'endive

## Préparation

1. Avec un mortier ou un moulin à épices,
   concasser la moutarde, la coriandre,
   le poivre et le sel. Verser dans
   un petit bol, ajouter le yogourt
   et la ciboulette, puis mélanger.

2. Placer les 4 tortillas sur une surface de
   travail. Déposer une feuille de laitue au
   centre de chaque tortilla. Garnir de rôti,
   de poivron et de concombre en regrou-
   pant les ingrédients sur une seule ligne
   traversant la tortilla.

3. Ajouter environ 30 ml (2 c. à soupe)
   de sauce sur les ingrédients. Placer
   2 feuilles d'endive à l'envers pour
   recouvrir les ingrédients et emprisonner
   la sauce.

4. Rouler les tortillas fermement et
   les emballer individuellement dans
   une pellicule plastique. Garder au froid
   jusqu'au repas.

## Valeur nutritive
(par portion)

| | |
|---|---|
| Énergie | 281 calories |
| Protéines | 22 g |
| Matières grasses | 8 g |
| Glucides | 29 g |
| Fibres alimentaires | 2,7 g |
| Sodium | 418 mg |
| Fer | 3,6 mg |
| Calcium | 143 mg |
| Oméga-3 | 0,1 g |

Nectarine

Bâtonnets de céleri

Muffins rose bonbon
*(recette p. 178)*

Pouding au chocolat
*(recette p. 240)*

*Excellente source de fer.*
*Source de fibres et de calcium.*

# POCHETTE À LA MÉDITERRANÉENNE

**PORTIONS: 4** **PRÉPARATION: 15 MIN** **CUISSON: 0 MIN**

## Côté pratique

Ayez toujours des poissons et fruits de mer en conserve dans le garde-manger. Saumon, thon, maquereau, sardines, crabe, crevettes à salade... ces produits se conservent longtemps et constituent d'excellents dépanneurs. Lorsque le frigo est vide, vous pourrez quand même vous préparer un lunch nourrissant. Mélangez à un peu de mayo, assaisonnez et servez sur des craquelins de blé entier. Avec un jus de légumes et un fruit, votre lunch est une affaire classée!

## Côté santé

Le maquereau est un savoureux poisson méconnu des Québécois. Bien sûr, vous pouvez le remplacer par un autre poisson dans cette recette. Mais pourquoi ne pas lui donner sa chance? Sa chair ressemble à celle du thon, mais il contient davantage d'oméga-3. Au souper, on peut l'ajouter à une sauce tomate pour protéiner un plat de pâtes, ou à une soupe de légumes pour la transformer en repas complet et vite fait.

## Ingrédients

> 250 g (8 oz) de filets de maquereau en conserve dans l'huile, égouttés
> 60 ml (1/4 tasse) de poivron rouge mariné, haché
> 1 oignon vert haché
> 1 tomate en petits dés
> 4 champignons blancs hachés
> 60 ml (1/4 tasse) de ciboulette hachée
> 30 ml (2 c. à soupe) de câpres hachées
> Sel et poivre
> 2 pains pitas tendres, coupés en 2
> 4 feuilles de laitue frisée

## Préparation

1. Dans un grand bol, écraser le maquereau à l'aide d'une fourchette.
2. Ajouter le poivron, l'oignon vert, la tomate, les champignons, la ciboulette et les câpres. Saler et poivrer, au goût.
3. Ouvrir l'intérieur des demi-pitas de façon à obtenir une pochette. Tapisser le fond de chaque pita d'une feuille de laitue.
4. Répartir la garniture sur la laitue et refermer le pain. Emballer dans une pellicule plastique et garder au froid jusqu'au repas.

## Valeur nutritive
(par portion)

| | |
|---|---|
| Énergie | 228 calories |
| Protéines | 19 g |
| Matières grasses | 8 g |
| Glucides | 21 g |
| Fibres alimentaires | 3,5 g |
| Sodium | 578 mg |
| Fer | 2,7 mg |
| Calcium | 168 mg |
| Oméga-3 | 0,9 g |

COMPLÉTEZ VOTRE
BOÎTE À LUNCH

Raisins rouges

Tranches de concombre

Cubes de fontina

Doigts de fée aux canneberges
*(recette p. 182)*

*Bonne source de fer, de calcium et d'oméga-3.*

# SALADES DE VERDURES

# MESCLUN FRUITÉ

**PORTIONS: 4**  **PRÉPARATION: 15 MIN**  **CUISSON: 0 MIN**

## Côté pratique

J'ai toujours une barquette de mesclun dans mon frigo. Pratique, ce mélange de laitues ne requiert ni lavage ni équeutage. Accompagné de viande et de quelques légumes, il constituera une bonne salade santé. Pour varier, n'hésitez pas à y ajouter des fruits. Raisins frais, fraises et framboises, morceaux de mangue ou d'ananas, boules de melon, figues fraîches ou tranches de poires… les fruits ajouteront de la couleur et de la fraîcheur. Idéal pour briser la routine!

## Côté santé

Les petites gâteries peuvent faire partie de la boîte à lunch, à condition qu'elles possèdent un atout santé. Si vous n'avez pas le temps de cuisiner des recettes maison, choisissez des collations qui marient les grains entiers et les fruits et assurez-vous, en lisant le tableau de la valeur nutritive, de choisir des produits sans gras trans et riches en fibres, comme les produits à base d'avoine contenant des fruits frais ou séchés.

## Ingrédients

> 1,5 l (6 tasses) de mesclun
> 500 ml (2 tasses) de poulet cuit haché (ou thon ou crevettes)
> 1 branche de céleri en dés
> 1/2 concombre en dés
> 250 ml (1 tasse) de morceaux d'ananas en dés, frais ou surgelés (décongelés et égouttés)
> 250 ml (1 tasse) de raisins rouges coupés en 2
> 250 ml (1 tasse) de fraises coupées en 2

### Vinaigrette aux ananas

> 250 ml (1 tasse) de morceaux d'ananas, frais ou surgelés (décongelés et égouttés)
> 15 ml (1 c. à soupe) d'huile d'olive
> 5 ml (1 c. à thé) de vinaigre de riz
> Sel et poivre blanc

## Préparation

1. Au mélangeur électrique, fouetter tous les ingrédients de la vinaigrette, sauf le sel et le poivre, jusqu'à l'obtention d'une vinaigrette lisse et crémeuse. Saler et poivrer, au goût. Verser dans 4 petits plats hermétiques pour la boîte à lunch.

2. Dans 4 grands plats pour la boîte à lunch, répartir la laitue, le poulet, le céleri et le concombre.

3. Ajouter ensuite 60 ml (1/4 tasse) d'ananas, de raisins et de fraises. Refermer chaque plat et garder au froid jusqu'au repas.

4. Ajouter la vinaigrette à la dernière minute.

## Valeur nutritive
(par portion)

| | |
|---|---|
| Énergie | 238 calories |
| Protéines | 24 g |
| Matières grasses | 6 g |
| Glucides | 23 g |
| Fibres alimentaires | 3,4 g |
| Sodium | 121 mg |
| Fer | 1,9 mg |
| Calcium | 63 mg |
| Oméga-3 | 0,1 g |

Jus de pomme

Yogourt aux fruits

Petit pain multigrain

Mini-brownies maison
*(recette p. 190)*

*Riche en antioxydants.*
*Source de fibres, de fer et de calcium.*

# SALADE ASIATIQUE AU CINQ-ÉPICES

| PORTIONS: 4 | PRÉPARATION: 15 MIN | CUISSON: 0 MIN |

## Côté pratique

L'huile de sésame est une huile savoureuse qu'il faut bien doser, car son goût parfumé est très prononcé. Si vous en ajoutez trop, elle risque de masquer le goût des aliments. Une demi-cuillérée à thé (2,5 ml) ou même quelques gouttes suffisent. Employée avec modération, elle relèvera subtilement vos légumes sans envahir vos papilles!

## Côté santé

Si vous pensez perdre du poids en sautant le dîner, vous vous trompez! En après-midi, la faim deviendra si intense que vous risquez de manger tout ce qui vous tombera sous la main. Pour éviter la fatigue, l'irritabilité et les maux de tête dus à une baisse d'énergie, ne passez pas plus de quatre ou cinq heures sans manger. Si la faim se fait sentir entre les repas, prenez de petites collations (fruits, yogourt, céréales).

## Ingrédients

> 500 ml (2 tasses) de jeunes pousses d'épinards
> 250 ml (1 tasse) de germes de haricots (aussi appelés fèves germées)
> 1 poivron rouge en julienne
> 250 ml (1 tasse) de carottes râpées ou de carottes marinées à l'orange *(recette p. 222)*
> 250 ml (1 tasse) de poulet cuit, en dés
> 250 ml (1 tasse) de nouilles croustillantes (pour chow mein)

### Vinaigrette au cinq-épices

> 15 ml (1 c. à soupe) de miel
> 5 ml (1 c. à thé) de cinq-épices chinois
> 5 ml (1 c. à thé) de gingembre frais, râpé finement
> 2,5 ml (1/2 c. à thé) d'huile de sésame
> 45 ml (3 c. à soupe) d'huile de canola

## Préparation

1. Assembler les salades en divisant également tous les ingrédients, sauf les nouilles croustillantes, dans 4 plats hermétiques pour la boîte à lunch. Respecter l'ordre de la liste des ingrédients. Garder au froid jusqu'au repas.

2. Dans un bol moyen, mélanger tous les ingrédients de la vinaigrette sauf l'huile de canola.

3. Verser l'huile en un mince filet en fouettant vigoureusement pour créer une émulsion. Diviser dans 4 autres petits plats hermétiques pour la boîte à lunch.

4. Diviser les nouilles croustillantes en 4 portions. Conserver dans un plat ou un sac de plastique pour la boîte à lunch.

5. Garnir la salade de nouilles croustillantes et de vinaigrette au cinq-épices à la dernière minute.

## Valeur nutritive
(par portion)

| | |
|---|---|
| Énergie | 270 calories |
| Protéines | 15 g |
| Matières grasses | 13 g |
| Glucides | 19 g |
| Fibres alimentaires | 3,3 g |
| Sodium | 111 mg |
| Fer | 2,1 mg |
| Calcium | 45 mg |
| Oméga-3 | 1,3 g |

Jus de litchi ou jus de fruits tropicaux

Fraises

Trempette fraîcheur à la menthe et au gingembre *(recette p. 230)*

Maïs soufflé olé olé! *(recette p. 206)*

> *Excellente source d'oméga-3.*
> *Bonne source de fer.*

# CÉLERI-RAVE AU CRABE ET AUX HERBES FRAÎCHES

**PORTIONS: 4**  **PRÉPARATION: 15 MIN**  **CUISSON: 0 MIN**

## Côté pratique

Le céleri-rave est un légume-racine économique. Après plusieurs semaines dans le tiroir à légumes, il sera encore délicieux et croquant. C'est dommage qu'il soit si peu populaire au Québec. Est-ce parce qu'on ne sait pas trop comment l'apprêter? Inspirons-nous des Français, qui adorent le céleri rémoulade, une salade à base de céleri-rave et de mayonnaise. J'en propose une version allégée. Préparez-la sans crabe pour un accompagnement ou avec crabe pour un repas complet.

## Côté santé

On a trop souvent l'habitude de réserver les fruits de mer pour les occasions spéciales. La chair de crabe en conserve est pourtant économique tout en étant aussi nutritive que le crabe frais ou surgelé. Cette source de protéines contient à peine 1 g de gras pour 100 g, ce qui est très peu lorsqu'on sait que la même quantité de bœuf en contient 10 fois plus.

## Ingrédients

> 1 gros céleri-rave
> Jus de 1/2 citron
> 250 ml (1 tasse) de crabe, cuit et effiloché (ou de goberge à saveur de crabe)
> 125 ml (1/2 tasse) de yogourt nature
> 60 ml (1/4 tasse) de persil plat frais, haché finement
> 60 ml (1/4 tasse) de ciboulette fraîche, hachée finement
> 60 ml (1/4 tasse) d'estragon frais, haché finement
> 7 ml (1/2 c. à soupe) de moutarde de Dijon
> 5 ml (1 c. à thé) de sucre
> Sel et poivre

## Préparation

1. Peler le céleri-rave à l'aide d'un couteau, la pelure étant trop coriace pour un économe (épluche-légumes). Couper le céleri-rave en 4 ou 6 morceaux.
2. Râper le céleri-rave au robot culinaire. Transvider dans un grand bol et asperger de jus de citron pour prévenir l'oxydation. Ajouter le crabe et bien mélanger.
3. Dans un petit bol, mélanger le yogourt, le persil, la ciboulette, l'estragon, la moutarde et le sucre. Saler et poivrer, au goût. Ajouter à la salade et bien mélanger.
4. Diviser dans 4 plats hermétiques pour la boîte à lunch. Garder au froid jusqu'au repas.

## Valeur nutritive
(par portion)

| | |
|---|---|
| Énergie | 92 calories |
| Protéines | 9 g |
| Matières grasses | 1 g |
| Glucides | 12 g |
| Fibres alimentaires | 1,8 g |
| Sodium | 245 mg |
| Fer | 1,4 mg |
| Calcium | 145 mg |
| Oméga-3 | 0,2 g |

## COMPLÉTEZ VOTRE BOÎTE À LUNCH

Jus de légumes à teneur réduite en sodium

Purée cent façons (recette p. 246)

Tranches de oka

Toasts Melba

*Faible en gras.*
*Source de calcium et de fer.*

# SALADE DE CHOU TOUTE GARNIE

**PORTIONS: 4** | **PRÉPARATION: 15 MIN** | **CUISSON: 0 MIN**

## Côté pratique

Certaines personnes digèrent mal le chou et les autres légumes de la famille des crucifères (chou-fleur, brocoli, chou de Bruxelles, chou-rave, etc.). Le meilleur truc, c'est de persévérer et d'en consommer régulièrement. Ne baissez pas les bras! L'intestin a la capacité de s'entraîner à digérer les crucifères. Peu à peu, vos malaises s'estomperont. Vous apprécierez alors tous les bienfaits de cette surprenante famille de légumes.

## Côté santé

C'est un fait, le chou est boudé des Québécois. Associé aux temps durs de nos ancêtres, il est loin d'être le chouchou de nos cuisines modernes... Pourtant, de récentes études attribuent à la famille des choux d'ex-cellentes propriétés anticancéreuses. Riches en fibres, en vitamines, en minéraux et en antioxydants, ces légumes méritent une place sur notre table. D'autant plus que leur petit prix en fait le remède le moins cher en ville!

## Ingrédients

> 250 ml (1 tasse) de chou rouge râpé ou haché
> 250 ml (1 tasse) de carottes râpées
> 250 ml (1 tasse) de poulet cuit, en dés
> 1 branche de céleri hachée
> 2 oignons verts hachés
> 2 pommes non pelées, en dés
> 60 ml (1/4 tasse) d'amandes * effilées (facultatif)
> 60 ml (1/4 tasse) de canneberges séchées

### Variation 1

**Vinaigrette crémeuse**
> 125 ml (1/2 tasse) de yogourt nature
> 60 ml (1/4 tasse) de jus de pomme
> 5 ml (1 c. à thé) de moutarde de Dijon
> 2,5 ml (1/2 c. à thé) d'ail haché
> Herbes de Provence
> Sel et poivre

### Variation 2

**Vinaigrette traditionnelle**
> 125 ml (1/2 tasse) de jus de pomme
> 45 ml (3 c. à soupe) de jus de citron
> 30 ml (2 c. à soupe) d'huile
> 2,5 ml (1/2 c. à thé) de moutarde de Dijon
> 2,5 ml (1/2 c. à thé) d'ail
> Herbes de Provence
> Sel et poivre

## Préparation

1. Dans un grand bol, mélanger tous les ingrédients de la salade.
2. Dans un petit bol, fouetter tous les ingrédients d'une des vinaigrettes au choix. Ajouter la quantité désirée à la salade. Bien mélanger pour répartir la vinaigrette dans la salade.
3. Diviser la salade dans des plats hermétiques pour la boîte à lunch et garder au froid jusqu'au repas.

\* Attention: les arachides et les noix sont interdites à l'école primaire.

### Valeur nutritive
(par portion)

| | V1 | V2 |
|---|---|---|
| Énergie | 248 cal. | 196 cal. |
| Protéines | 13 g | 15 g |
| Matières grasses | 11 g | 5 g |
| Glucides | 26 g | 25 g |
| Fibres alimentaires | 4,3 g | 4,3 g |
| Sodium | 105 mg | 134 mg |
| Fer | 1,2 mg | 1,2 mg |
| Calcium | 53 mg | 107 mg |
| Oméga-3 | 0,7 g | 0,1 g |

Jus de raisin

Fromage cheddar

Craquelins de blé entier

Pain aux poires et aux épices
*(recette p. 184)*

> *Bonne source de fibres et d'oméga-3.*
> *Source de fer.*

# SALADE DE FETA

**PORTIONS: 4**  **PRÉPARATION: 15 MIN**  **CUISSON: 0 MIN**

## Côté pratique

Lire ou regarder la télévision en mangeant occupe votre attention et diminue l'écoute de votre appétit. De plus, vous profitez moins du goût des aliments et avez envie de continuer de manger même quand vous n'avez plus faim. Prenez le temps de vous asseoir dans un endroit calme pour savourer votre repas. Limitez les distractions et savourez chaque bouchée. Après tout, manger est un plaisir, profitez-en pleinement!

## Côté santé

En plus d'être riche en protéines, le tofu contient moins de matières grasses que la viande. Comme ses matières grasses sont essentiellement insaturées — donc de bonne qualité —, le tofu constitue un excellent choix pour remplacer la viande. Votre famille boude le tofu? J'ai fait le test: il passe incognito dans cette recette! En le mélangeant à la feta, il prend son bon goût salé et ajoute des protéines au repas. Je vous mets au défi, essayez-le!

## Ingrédients

> 100 g (3 1/2 oz) de feta émiettée
> 100 g (3 1/2 oz) de tofu extra ferme, émietté
> 1 concombre non pelé, en petits dés
> 1 poivron rouge en petits dés
> 1/2 poivron jaune en petits dés
> 1 branche de céleri hachée finement
> 60 ml (1/4 tasse) d'oignon rouge haché finement
> 30 ml (2 c. à soupe) de menthe fraîche, hachée finement
> 30 ml (2 c. à soupe) d'huile d'olive
> Poivre

## Préparation

1. Dans un bol, mélanger la feta et le tofu, et laisser reposer quelques minutes pour que le tofu prenne les saveurs de la feta.
2. Pendant ce temps, couper les légumes et les ajouter progressivement dans le bol. Assaisonner et mélanger.
3. Diviser dans des plats hermétiques pour la boîte à lunch. Garder au froid jusqu'au repas.

## Valeur nutritive
(par portion)

| | |
|---|---|
| Énergie | 116 calories |
| Protéines | 7 g |
| Matières grasses | 6 g |
| Glucides | 10 g |
| Fibres alimentaires | 2,1 g |
| Sodium | 313 mg |
| Fer | 1,4 mg |
| Calcium | 167 mg |
| Oméga-3 | 0,1 g |

Abricot

Tzatziki maison
ou du commerce

Pointes de pita grillées aux épices
*(recette p. 208)*

Pain perdu choco-canneberge
*(recette p. 186)*

> *Bonne source de calcium.*
> *Source de fibres et de fer.*

# SALADE DE FENOUIL AUX AGRUMES

| PORTIONS: 4 | PRÉPARATION: 15 MIN | CUISSON: 0 MIN |

## Côté pratique

J'aime la saveur anisée du fenouil, qui rappelle la réglisse noire. Enfant, je détestais cette saveur et maintenant je l'adore! C'est signe que nos goûts évoluent. Ça ne vaut pas que pour la nourriture... Porteriez-vous les mêmes vêtements qu'il y a 15 ans? Alors donnez-vous la chance de goûter à plusieurs reprises un aliment que vous n'aimez pas de prime abord. Que ce soit un légume, un fruit de mer ou un fromage fort, on ne sait pas ce que l'avenir réserve à vos papilles!

## Côté santé

Les fibres constituent un coupe-faim naturel. Un repas riche en fibres satisfait votre appétit plus rapidement et plus longtemps qu'un repas qui n'en contient pas ou peu. Les fibres agissent aussi comme une éponge dans l'intestin. Elles absorbent une partie du gras contenu dans le corps, puis l'élimine avec les selles. Alors misez sur les fibres, c'est un allié de choix pour perdre du poids. Cette recette consitue une excellente source!

## Ingrédients

> 1 fenouil haché finement (partie blanche seulement)
> 1 orange coupée en suprêmes
> 1 pamplemousse rose coupé en suprêmes
> 1 branche de céleri hachée finement
> 30 ml (2 c. à soupe) d'oignon rouge haché finement (facultatif)
> 60 ml (1/4 tasse) de feuilles de fenouil ciselées (partie verte)
> 2,5 ml (1/2 c. à thé) de graines de carvi
> 250 ml (1 tasse) de crevettes cuites
> 15 ml (1 c. à soupe) de jus d'orange
> 15 ml (1 c. à soupe) de yogourt nature
> 5 ml (1 c. à thé) de moutarde de Dijon
> Sel et poivre

## Préparation

1. Dans un grand bol, mélanger tous les ingrédients ensemble. Rectifier l'assaisonnement au goût.
2. Répartir dans des plats hermétiques pour la boîte à lunch. Garder au froid jusqu'au repas.

## Valeur nutritive
(par portion)

| | |
|---|---|
| Énergie | 140 calories |
| Protéines | 15 g |
| Matières grasses | 2 g |
| Glucides | 18 g |
| Fibres alimentaires | 6,0 g |
| Sodium | 232 mg |
| Fer | 3,5 mg |
| Calcium | 165 mg |
| Oméga-3 | 0,2 g |

Bleuets

Lanières de poivron rouge

Ficelle de fromage

Muffin croustillant
aux pommes *(recette p. 192)*

*Excellente source de fibres et de fer.*
*Bonne source de calcium.*

# ASPERGES À LA NIÇOISE

**PORTIONS: 4** | **PRÉPARATION: 15 MIN** | **CUISSON: 5 MIN**

## Côté pratique

Achetez des asperges de couleur vive, à la tige ferme, mais surtout dont la tête est bien serrée et non flétrie. Si vous préférez les grosses asperges, pelez grossièrement les tiges à l'économe afin qu'elles cuisent aussi rapidement que les pointes. Choisissez des bottes dont les asperges sont de la même taille. Elles cuiront plus uniformément. Les asperges se conservent trois jours au réfrigérateur, enveloppées dans un linge humide ou placées debout, la base dans un peu d'eau.

## Côté santé

Saviez-vous que les asperges figurent parmi les légumes les plus riches en antioxydants? Des études ont démontré que les asperges contiennent plusieurs composés anticancéreux dont les flavonoïdes, les caroténoïdes et les phytoestrogènes. De plus, les asperges sont une excellente source d'acide folique et une bonne source de fer, deux éléments nutritifs importants pour tous, mais surtout pour les femmes enceintes ou qui allaitent.

## Ingrédients

> 1 botte d'asperges fraîches (environ 30 asperges)
> 4 œufs durs, décoquillés et coupés en 4
> 1 boîte de 170 g (6 oz) de thon pâle en morceaux, égoutté
> 250 ml (1 tasse) de tomates cerises coupées en 2
> 125 ml (1/2 tasse) d'olives noires dénoyautées et coupées en 2
> 30 ml (2 c. à soupe) d'oignon rouge en fines lamelles

### Vinaigrette citron-Dijon

> Jus de 1/2 citron
> 15 ml (1 c. à soupe) de moutarde de Dijon
> 5 ml (1 c. à thé) d'ail haché
> Sel et poivre
> 80 ml (1/3 tasse) d'huile d'olive

## Préparation

1. Enlever environ 5 cm (2 po) à la base des asperges, cette partie étant plus coriace.
2. Placer les asperges à l'horizontale dans un plat allant au four à micro-ondes. Ajouter 1 cm (1/3 po) d'eau au fond du plat et couvrir d'une pellicule plastique.
3. Cuire au four à micro-ondes 5 minutes à puissance maximale. Plonger ensuite dans l'eau glacée pour stopper la cuisson.
4. Couper les asperges en 3 et répartir dans des plats hermétiques pour la boîte à lunch. Ajouter les autres ingrédients de la salade en les divisant également. Garder au froid jusqu'au repas.
5. Dans un bol moyen, mélanger tous les ingrédients de la vinaigrette sauf l'huile.
6. Verser l'huile en un mince filet en fouettant vigoureusement pour créer une émulsion. Verser dans 4 petits plats pour la boîte à lunch et ajouter à la salade à la dernière minute.

## Valeur nutritive
(par portion)

| | |
|---|---|
| Énergie | 357 calories |
| Protéines | 21 g |
| Matières grasses | 17 g |
| Glucides | 10 g |
| Fibres alimentaires | 4,4 g |
| Sodium | 322 mg |
| Fer | 5,3 mg |
| Calcium | 91 mg |
| Oméga-3 | 0,3 g |

Prunes

Cubes de gouda

Petit pain de blé entier

Crème de tapioca aux fraises
*(recette p. 226)*

*Excellente source de fer. Bonne source de fibres. Source d'oméga-3.*

# SALSA DE MAÏS

**PORTIONS: 4**  **PRÉPARATION: 10 MIN**  **CUISSON: 0 MIN**

## Côté pratique

Le cumin occupe une place importante dans la cuisine du Moyen-Orient, mais sa saveur chaude et légèrement piquante convient aussi à la cuisine de tous les jours. Vous pouvez ajouter des graines de cumin grillées et légèrement concassées à vos galettes de viande hachée pour les hamburgers. Le cumin sera également délicieux dans vos recettes à saveur mexicaine, que ce soit dans la viande à taco ou à burrito, dans un bon chili con carne ou même dans cette salsa vite faite.

## Côté santé

Les pigments des fruits et légumes possèdent un grand pouvoir antioxydant. Plus sa chair est colorée, plus l'aliment est riche en vitamines et en minéraux, mais aussi en antioxydants. Habituez-vous à compter les couleurs dans votre assiette: plus il y en a, mieux c'est! Le jeu amusera les enfants et incitera les plus grands à diversifier leur alimentation. Et à ce jeu, cette recette multicolore marque beaucoup de points!

## Ingrédients

> 500 ml (2 tasses) de maïs en grains surgelé
> 1 poivron rouge en petits dés
> 1 concombre non pelé en petits dés
> 2 tomates en petits dés
> Le jus de 1/2 citron
> 10 ml (2 c. à thé) d'huile d'olive
> 5 ml (1 c. à thé) de graines de cumin grillées
> 5 ml (1 c. à thé) d'ail haché

## Préparation

1. Dans un bol, mélanger tous les ingrédients. Rectifier l'assaisonnement au goût.
2. Diviser dans des plats hermétiques pour la boîte à lunch. Garder au froid jusqu'au repas.

## Valeur nutritive
(par portion)

| | |
|---|---|
| Énergie | 66 calories |
| Protéines | 2 g |
| Matières grasses | 2 g |
| Glucides | 13 g |
| Fibres alimentaires | 2 g |
| Sodium | 5 mg |
| Fer | 0,8 mg |
| Calcium | 19 mg |
| Oméga-3 | 0 g |

Kiwi

Cubes de cheddar

Œuf dur et pointes de pitas grillées aux épices *(recette p. 208)*

Muffin son et bleuets
*(recette p. 180)*

*Faible en gras et en sodium.*
*Source de fer et de fibres.*

# SALADE DE RÔTI DE BŒUF, VINAIGRETTE PIQUANTE AU PAPRIKA

**PORTIONS: 4** | **PRÉPARATION: 15 MIN** | **CUISSON: 0 MIN**

## Côté pratique

Carottes déjà râpées, laitue déjà lavée... les épiceries proposent plusieurs choix de légumes prêts à manger. Ils sont plus pratiques, mais plus coûteux. Lorsqu'on manque de temps, ces légumes peuvent faire la différence entre une recette équilibrée ou pas de légume du tout. Toutefois, si vous avez le temps et si vous voulez économiser, achetez l'aliment en vrac et le moins transformé possible. Après tout, râper des carottes et laver de la laitue, ce n'est pas si long. À vous de décider!

## Côté santé

Le cancer est aujourd'hui la première cause de décès au Québec, et le nombre de nouveaux cas est toujours en hausse. Selon le Fonds mondial de recherche contre le cancer (WCRF), une alimentation saine et un mode de vie équilibré pourraient prévenir de 30 à 40 % des cancers. Au Québec, près de 15 000 cas de cancer seraient donc évités chaque année si chacun adoptait de meilleures habitudes. Alors, qu'attendez-vous pour manger santé?

## Ingrédients

> 750 ml (3 tasses) de mesclun
> 250 ml (1 tasse) de radicchio émincé
> 2 tomates en quartiers
> 8 radis en quartiers
> 1/2 concombre non pelé, en tranches
> 450 g (1 lb) de rôti de bœuf, cuit et tranché finement
> 1 échalote française émincée
> Poivre concassé

### Vinaigrette piquante au paprika

> 60 ml (1/4 tasse) de jus de pomme
> 15 ml (1 c. à soupe) de vinaigre de cidre
> 15 ml (1 c. à soupe) de miel
> 2,5 ml (1/2 c. à thé) de paprika
> 2,5 ml (1/2 c. à thé) de moutarde sèche
> 2,5 ml (1/2 c. à thé) d'ail haché
> 1 trait de sauce piquante (de type tabasco)
> 80 ml (1/2 tasse) d'huile d'olive

## Préparation

1. Assembler les salades en divisant également les ingrédients dans 4 plats hermétiques pour la boîte à lunch. Respecter l'ordre de la liste des ingrédients. Garder au froid jusqu'au repas.
2. Dans un bol moyen, mélanger tous les ingrédients de la vinaigrette sauf l'huile.
3. Verser l'huile en un mince filet en fouettant vigoureusement pour créer une émulsion. Verser dans 4 petits plats hermétiques pour la boîte à lunch et ajouter à la salade à la dernière minute.

### Valeur nutritive
(par portion)

| | |
|---|---|
| Énergie | 398 calories |
| Protéines | 29 g |
| Matières grasses | 17 g |
| Glucides | 12 g |
| Fibres alimentaires | 1,7 g |
| Sodium | 78 mg |
| Fer | 3,6 mg |
| Calcium | 43 mg |
| Oméga-3 | 0,2 g |

Jus d'orange

Yogourt aux fruits

Grissini de blé entier

Salade de fraises et de bocconcinis
à la menthe *(recette p. 250)*

*Excellente source de fer.*
*Faible en sodium.*

# SALADE DE COURGE GRILLÉE

**PORTIONS: 4**   **PRÉPARATION: 20 MIN**   **CUISSON: 25 MIN**

## Côté pratique

Vous souhaitez introduire les oméga-3 dans votre alimentation, mais vous n'êtes pas un grand amateur de poisson et n'êtes pas emballé à l'idée d'ajouter des graines de lin moulues à vos recettes? Une autre solution s'offre à vous: l'huile de lin. En plus d'être riche en oméga-3, cette huile n'a pratiquement pas de goût. Une cuillérée à thé (5 ml) contient 2,5 g d'oméga-3, ce qui comble amplement vos besoins quotidiens. Ajoutez un filet d'huile de lin à vos salades, et le tour est joué!

## Côté santé

Citrouilles et courges d'hiver sont riches en bêta-carotène, une substance aux propriétés anticancéreuses. En fait, tous les fruits et légumes orangés sont de bons choix à ajouter sur la liste d'épicerie. Riches en antioxydants, en fibres, en vitamines et en minéraux, ils sont beaucoup plus savoureux et économiques que les suppléments!

## Ingrédients

> 1 courge Butternut
> 15 ml (1 c. à soupe) d'huile d'olive
> 30 ml (2 c. à soupe) de romarin frais haché
> Sel et poivre
> 1 l (4 tasses) de jeunes pousses d'épinards
> 125 ml (1/2 tasse) de graines de citrouille décortiquées
> 60 ml (1/4 tasse) de copeaux de parmesan
> 60 ml (1/4 tasse) d'huile d'olive
> 20 ml (4 c. à thé) de vinaigre balsamique
> 250 ml (1 tasse) de gros croûtons, maison ou du commerce

## Préparation

1. Préchauffer le four à 200 °C (400 °F).
2. Couper la courge en 2, retirer les graines. Placer les 2 demi-courges dans le four à micro-ondes face vers le haut. Précuire 5 minutes.
3. Retirer la peau de la courge, couper la chair en gros cubes et placer dans un bol. Ajouter l'huile, le romarin, le sel et le poivre, puis remuer pour bien enrober la courge.
4. Placer la courge sur une plaque à biscuits doublée de papier-parchemin et cuire au four 15 minutes. Terminer la cuisson sous le gril pendant 5 minutes. Laisser refroidir.
5. Assembler les salades en plaçant 250 ml (1 tasse) d'épinards dans 4 plats hermétiques pour la boîte à lunch. Répartir ensuite les cubes de courge, puis ajouter les graines de citrouille et le parmesan. Garder au froid jusqu'au repas.
6. Dans 4 petit plats hermétiques pour la boîte à lunch, préparer la vinaigrette en mélangeant 15 ml (1 c. à soupe) d'huile et 5 ml (1 c. à thé) de vinaigre pour chaque portion.
7. Emballer les croûtons à part. Prévoir 60 ml (1 tasse) de croûtons par personne.
8. Verser la vinaigrette et ajouter les croûtons sur la salade à la dernière minute.

## Valeur nutritive
(par portion)

| | |
|---|---|
| Énergie | 370 calories |
| Protéines | 9 g |
| Matières grasses | 16 g |
| Glucides | 27 g |
| Fibres alimentaires | 4,6 g |
| Sodium | 202 mg |
| Fer | 4,9 mg |
| Calcium | 170 mg |
| Oméga-3 | 0,3 g |

Jus de légumes à teneur réduite en sodium

Barre fondante aux abricots
*(recette p. 174)*

Fromage aux herbes
et aux olives *(recette p. 218)*

Grissol

*Excellente source de fer.*
*Bonne source de fibres et de calcium.*

# SALADE DOUCE-AMÈRE AU MELON D'EAU

**PORTIONS: 4**  **PRÉPARATION: 15 MIN**  **CUISSON: 0 MIN**

## Côté pratique

L'huile d'olive extra-vierge est celle qui respecte les plus hautes normes de qualité. Elle est obtenue sans solvant ni chaleur, contrairement aux huiles d'olives régulières ou «raffinées». Utilisez celles-ci pour la cuisson et dans des mets où le goût de l'huile sera peu remarqué, et réservez les huiles d'olive de meilleure qualité pour les salades et autres utilisations «à cru». Calculez environ 15 $ pour 500 ml (16 oz).

## Côté santé

On a tendance à penser que le melon d'eau ne contient rien d'autre que... de l'eau. Détrompez-vous! Malgré ses 92 % d'eau, la pastèque regorge de vitamines A et C, de potassium et d'antioxydants, principalement sous forme de lycopène (le même antioxydant que la tomate). Son goût sucré est trompeur puisque deux tranches de 2,5 cm (1 po) d'épaisseur ne contiennent pas plus de glucides qu'une pomme!

## Ingrédients

> 250 ml (1 tasse) de radicchio haché
> 250 ml (1 tasse) de jeunes pousses d'épinards
> 250 ml (1 tasse) de laitue Boston hachée
> 2 endives hachées
> 1 échalote française hachée
> 1 concombre pelé, en dés
> 500 ml (2 tasses) de melon d'eau (ou autre melon) en dés
> 250 ml (1 tasse) de mini-bocconcinis coupés en 4
> 60 ml (1/4 tasse) de pignons * (noix de pin) (facultatif)
> 60 ml (1/4 tasse) d'huile d'olive
> Sel et poivre

## Préparation

1. Dans un bol, mélanger le radicchio, les épinards, la laitue, les endives, l'échalote et le concombre. Répartir dans 4 plats hermétiques pour la boîte à lunch.

2. Ajouter sur chaque portion, dans l'ordre, les cubes de melon, les bocconcinis et les pignons.

3. Verser 15 ml (1 c. à soupe) d'huile sur chaque portion. Saler et poivrer, au goût. Garder au froid jusqu'au repas.

\* Attention: les arachides et les noix sont interdites à l'école primaire.

## Valeur nutritive
(par portion)

| | |
|---|---|
| Énergie | 408 calories |
| Protéines | 14 g |
| Matières grasses | 19 g |
| Glucides | 14 g |
| Fibres alimentaires | 4,4 g |
| Sodium | 281 mg |
| Fer | 2,8 mg |
| Calcium | 137 mg |
| Oméga-3 | 0,2 g |

Jus de légumes à teneur réduite en sodium

Fromage cottage

Petit pain

Pain aux poires et aux épices
*(recette p. 184)*

> *Bonne source de fibres et de fer.*
> *Source de calcium.*

# SALADE DE PÉTONCLES, MANDARINES ET FRAMBOISES

**PORTIONS: 4**  **PRÉPARATION: 15 MIN**  **CUISSON: 10 MIN**

## Côté pratique

La châtaigne d'eau, un bulbe aquatique originaire d'Asie, est souvent cultivée à même les rizières. Au Québec, on trouve surtout la châtaigne d'eau en conserve, entière ou tranchée, quoique certaines épiceries asiatiques la proposent aussi à l'état frais. Elle est alors recouverte d'une rude écorce brun foncé. Ce légume croustillant et légèrement sucré convient parfaitement aux sautés asiatiques, aux soupes-repas et aux salades de fruits.

## Côté santé

Pour perdre du poids, plusieurs tombent littéralement dans la salade et ne mangent que ça. Manger des légumes, c'est bien, mais n'oubliez pas les protéines et les produits céréaliers à grains entiers! Ceux-ci procurent des fibres et de l'énergie, alors que les protéines aident à soutenir l'appétit et à prévenir les fringales entre les repas. Les pétoncles sont une source de protéines maigres et nécessitent peu de cuisson, de trois à quatre minutes tout au plus.

## Ingrédients

> 250 ml (1 tasse) de petits pétoncles surgelés
> 60 ml (1/4 tasse) de jus de mandarine (provenant de la conserve)
> 1 l (4 tasses) de laitue frisée déchiquetée
> 1 boîte de 227 ml (8 oz) de châtaignes d'eau tranchées, égouttées
> 1 concombre non pelé, en gros dés
> 250 ml (1 tasse) de mandarines en conserve, égouttées
> 250 ml (1 tasse) de framboises fraîches
> 60 ml (1/4 tasse) de vinaigrette aux framboises du commerce

## Préparation

1. Dans une grande poêle, pocher les pétoncles dans le jus de mandarine à feu moyen-vif, de 5 à 7 minutes ou jusqu'à ce que les pétoncles soient cuits et le jus presque entièrement évaporé. Égoutter les pétoncles.

2. Assembler les salades en divisant également tous les ingrédients, sauf la vinaigrette, dans 4 plats hermétiques pour la boîte à lunch. Commencer par la laitue et respecter l'ordre de la liste des ingrédients. Terminer par les pétoncles pochés. Garder au froid jusqu'au repas.

3. Diviser la vinaigrette en 4 portions dans de petits plats hermétiques pour la boîte à lunch. Verser sur la salade à la dernière minute.

## Valeur nutritive
(par portion)

| | |
|---|---|
| Énergie | 162 calories |
| Protéines | 15 g |
| Matières grasses | 2 g |
| Glucides | 21 g |
| Fibres alimentaires | 4,0 g |
| Sodium | 171 mg |
| Fer | 3,0 mg |
| Calcium | 112 mg |
| Oméga-3 | 0,3 g |

## COMPLÉTEZ VOTRE BOÎTE À LUNCH

Bouquets de brocoli

- - - - - - - - - - - -

Trempette cajun
*(recette p. 214)*

- - - - - - - - - - - -

Petit pain de blé entier

- - - - - - - - - - - -

Pouding au chocolat
*(recette p. 240)*

*Bonne source de fibres et de fer.*
*Source de calcium et d'oméga-3.*

# SALADES DE PÂTES ET DE PRODUITS CÉRÉALIERS

# SALADE DE POMMES DE TERRE À L'ANETH

**PORTIONS: 4** | **PRÉPARATION: 15 MIN** | **CUISSON: 0 MIN**

## Côté pratique

Les œufs aiment se tenir en bande. Faites-en toujours cuire plusieurs à la fois. Les œufs durs se conservent une semaine au frigo. Ajoutez-en dans cette recette ou dans une garniture à sandwich. Accompagnés de craquelins de blé entier, ils se transformeront en collation nourrissante pour les appétits en pleine croissance. Matin pressé, prenez un œuf dur pour emporter!

## Ingrédients

> 1 œuf dur
> 125 ml (1/2 tasse) de yogourt nature
> 15 ml (1 c. à soupe) d'aneth séché
> 60 ml (1/4 tasse) de ciboulette hachée
> 1 ml (1/4 c. à thé) de raifort mariné
> Sel et poivre
> 1 branche de céleri hachée finement
> 1/2 poivron rouge haché
> 500 ml (2 tasses) de pommes de terre grelots, cuites et coupées en 2

## Préparation

1. Au mélangeur électrique ou au robot culinaire, mélanger l'œuf et le yogourt jusqu'à l'obtention d'une sauce lisse et crémeuse.
2. Dans un grand bol, mélanger la sauce au yogourt, l'aneth, la ciboulette et le raifort. Saler et poivrer au goût.
3. Ajouter le céleri, le poivron et les pommes de terre. Bien mélanger. Diviser la salade en 4 portions dans des plats hermétiques pour la boîte à lunch. Garder au froid jusqu'au repas.

## Côté santé

Certains fruits et légumes très croquants, comme les pommes et les carottes, arrivent à imiter l'effet de la brosse à dents dans la bouche. Ces aliments stimulent les gencives, augmentent la production de salive et réduisent la prolifération des bactéries à l'origine des caries dentaires. Un morceau de fromage qu'on consomme à la fin du repas aide aussi à protéger les dents contre les caries.

### Valeur nutritive
(par portion)

| | |
|---|---|
| Énergie | 115 calories |
| Protéines | 5 g |
| Matières grasses | 2 g |
| Glucides | 20 g |
| Fibres alimentaires | 2,3 g |
| Sodium | 97 mg |
| Fer | 1,0 mg |
| Calcium | 96 mg |
| Oméga-3 | 0 g |

Jus de légumes
à teneur réduite en sodium

Prunes

Bâtonnets de carottes

Cubes de havarti

*Faible en gras et en sodium.*
*Source de fibres et de calcium.*

# SALADE THAÏLANDAISE

**PORTIONS: 4**    **PRÉPARATION: 10 MIN**    **CUISSON: 10 MIN**

## Côté pratique

Riches en gras insaturés, les noix sont très fragiles et rancissent rapidement. En s'oxydant, elles perdent une partie de leurs bienfaits nutritionnels. À l'achat, préférez les noix en écale, une protection naturelle contre le rancissement. Si vous les achetez écalées, n'hésitez pas à les retourner à votre marchand lorsque leur fraîcheur vous semble discutable. À moins que vous les consommiez rapidement, conservez-les au réfrigérateur: il en va de votre santé et de la réussite de votre recette.

## Côté santé

Les Canadiens consomment trop peu de fruits et légumes. Pourtant, le lien entre la consommation de ces aliments et la prévention du cancer est aujourd'hui une certitude. Les fruits et légumes colorés regorgent de molécules anticancéreuses. Si les gens consommaient au moins cinq portions de fruits et légumes par jour, les experts estiment qu'environ 20 % des cancers pourraient être évités.

## Ingrédients

> 1 paquet de 227 g (8 oz) de nouilles de riz larges
> 250 ml (1 tasse) de haricots verts coupés en tronçons de 2,5 cm (1 po)
> 500 ml (2 tasses) de germes de haricots (aussi appelés fèves germées)
> 250 ml (1 tasse) de porc cuit (filet ou rôti), en dés (ou de poulet cuit en dés)
> 125 ml (1/2 tasse) de noix d'acajou * nature ou d'arachides * nature (facultatif)
> 3 oignons verts hachés
> 1 poivron en julienne
> 1 branche de céleri hachée
> 125 ml (1/2 tasse) de vinaigrette au sésame du commerce
> *(ou de vinaigrette au cinq-épices, recette p. 76)*
> 60 ml (1/4 tasse) de jus d'orange
> 250 ml (1 tasse) de nouilles croustillantes (pour chow mein)

## Préparation

1. Casser grossièrement les nouilles de riz avec les mains. Placer les nouilles et les haricots verts dans un grand bol et les submerger d'eau bouillante. Laisser tremper 10 minutes. Égoutter et rincer à l'eau froide, puis bien égoutter de nouveau.

2. Pendant ce temps, dans un grand bol, mélanger tous les autres ingrédients sauf les nouilles croustillantes. Ajouter les nouilles de riz et les haricots, puis bien mélanger.

3. Diviser la salade en 4 portions dans des plats hermétiques pour la boîte à lunch. Garder au froid jusqu'au repas.

4. Diviser les nouilles croustillantes en 4 portions. Conserver dans un plat ou un sac de plastique pour la boîte à lunch. Garnir la salade de nouilles croustillantes à la dernière minute.

**\* Attention: les arachides et les noix sont interdites à l'école primaire.**

## Valeur nutritive
(par portion)

| | |
|---|---|
| Énergie | 611 calories |
| Protéines | 22 g |
| Matières grasses | 27 g |
| Glucides | 72 g |
| Fibres alimentaires | 6 g |
| Sodium | 509 mg |
| Fer | 3,9 mg |
| Calcium | 74 mg |
| Oméga-3 | 1,1 g |

## COMPLÉTEZ VOTRE BOÎTE À LUNCH

Boisson de soya

Salade de fruits exotiques
*(recette p. 248)*

Yogourt aux pêches

Barre fondante aux abricots
*(recette p. 174)*

> *Excellente source de fibres, de fer et d'oméga-3.*

# SALADE DU PÊCHEUR

**PORTIONS: 4**   **PRÉPARATION: 15 MIN**   **CUISSON: 0 MIN**

## Côté pratique

Le saumon frais est tellement meilleur au goût que le saumon en conserve! Faites cuire un filet supplémentaire au souper afin d'avoir des surplus pour la boîte à lunch. Dans les salades de pâtes, le couscous, les sandwiches ou les salades de verdures, je ne m'en lasse jamais. La truite et le saumon pochés sont très polyvalents, tout comme les crevettes surgelées. Combien de fois elles m'ont dépannée lorsque je ne savais pas quoi préparer pour le dîner!

## Côté santé

Ajoutez des fibres à cette salade avec les pâtes de blé entier. Nourrissantes, elles comblent l'appétit plus longtemps que les pâtes blanches. Si votre famille ne les a pas encore adoptées, allez-y mollo. Préparez cette recette moitié pâtes blanches, moitié pâtes brunes. Avec tous les ingrédients de cette salade, l'ajout passera inaperçu. Pour une transition en douceur, augmentez les proportions de pâtes brunes au fil des semaines.

## Ingrédients

> 500 ml (2 tasses) de farfales de blé entier, cuites (ou autres pâtes courtes)
> 500 ml (2 tasses) de poisson ou de fruits de mer, cuits ou en conserve, au choix (crevettes, pétoncles, chair de crabe, goberge, thon, saumon)
> 500 ml (2 tasses) de légumes crus hachés finement, au choix (poivron coloré, oignon vert, céleri, concombre, radis, carotte)
> 60 ml (1/4 tasse) d'huile d'olive extra-vierge
> 45 ml (3 c. à soupe) d'aneth frais (ou 15 ml / 1 c. à soupe d'aneth séché)
> Jus de 1 citron
> Fleur de sel (ou gros sel)
> Poivre concassé

## Préparation

1. Dans un grand bol, mélanger les pâtes, le poisson ou les fruits de mer et les légumes.
2. Ajouter l'huile d'olive, l'aneth et le jus de citron. Bien mélanger et assaisonner au goût.
3. Diviser dans des plats hermétiques pour la boîte à lunch et garder au froid jusqu'au repas.

## Valeur nutritive
(par portion)

| | |
|---|---|
| Énergie | 319 calories |
| Protéines | 24 g |
| Matières grasses | 14 g |
| Glucides | 24 g |
| Fibres alimentaires | 4 g |
| Sodium | 103 mg |
| Fer | 2,3 mg |
| Calcium | 35 mg |
| Oméga-3 | 0,3 g |

Jus de légumes à teneur réduite en sodium

Raisins verts

Ficelle de fromage

Muffin son et bleuets
*(recette p. 180)*

*Bonne source de fibres et de fer.
Source d'oméga-3.*

# PLUMES AU PESTO, ARTICHAUTS ET CREVETTES

**PORTIONS: 4**     **PRÉPARATION: 10 MIN**     **CUISSON: 15 MIN**

## Côté pratique

Profitez des spéciaux pour acheter les asperges en plus grande quantité. Puisqu'elles se conservent seulement 2 ou 3 jours au frigo, pourquoi ne pas les congeler? Il s'agit de les blanchir de 2 à 4 minutes dans l'eau bouillante en utilisant une marmite à hauts rebords. Si possible, placez les asperges debout en évitant de submerger les pointes. Stoppez la cuisson à l'eau glacée et asséchez-les avec un linge propre. Bien emballées, elles se conserveront de 6 à 9 mois au congélateur.

## Côté santé

Cachée sous sa robe de papier, la cerise de terre ne demande qu'à être déshabillée, puis croquée! Pas surprenant qu'en France on surnomme l'alkékenge «amour en cage». Laissez-vous séduire par ce fruit riche en phytostérols et en caroténoïdes, des antioxydants aux vertus anticancéreuses et antibactériennes. À l'achat, assurez-vous que son enveloppe est bien sèche, comme du papier-parchemin. C'est un signe de maturité.

## Ingrédients

> 375 ml (1 1/2 tasse) de pennes de blé entier
  (ou autre pâtes courtes)
> 2,5 ml (1/2 c. à thé) d'huile
> 1/4 d'oignon rouge en lamelles
> 1/2 poivron rouge en lanières
> 10 asperges coupées en tronçons de 2,5 cm (1 po)
> 250 ml (1 tasse) de crevettes cuites
> 80 ml (1/3 tasse) d'olives noires, dénoyautées et coupées en 2 (ou d'olives kalamata)
> 4 cœurs d'artichauts en conserve, égouttés et coupés en 4
> 60 ml (1/4 tasse) de pesto de basilic
> 15 ml (1 c. à soupe) de parmesan râpé

## Préparation

1. Cuire les pâtes dans l'eau bouillante jusqu'à ce qu'elles soient tendres. Égoutter et réserver.
2. Pendant ce temps, dans une poêle à hauts rebords ou dans un wok, verser l'huile, et cuire l'oignon, le poivron et les asperges à feu vif de 5 à 7 minutes, en remuant constamment.

Lorsque les légumes commencent à griller, réduire à feu moyen et ajouter les crevettes, les olives et les cœurs d'artichauts. Cuire 1 minute en remuant, puis ajouter les pâtes, le pesto et le parmesan. Remuer pour bien répartir les ingrédients.

3. Diviser dans des plats hermétiques pour la boîte à lunch et réfrigérer immédiatement. Garder au froid jusqu'au repas.

## Valeur nutritive

(par portion)

| | |
|---|---|
| Énergie | 308 calories |
| Protéines | 22 g |
| Matières grasses | 7 g |
| Glucides | 42 g |
| Fibres alimentaires | 9,6 g |
| Sodium | 364 mg |
| Fer | 6,1 mg |
| Calcium | 133 mg |
| Oméga-3 | 0,3 g |

Jus de pommes

Cerises de terre (alkékenges)

Fromage frais

Salade de fraises et de bocconcinis
à la menthe *(recette p. 250)*

*Excellente source de fibres et de fer.*
*Source d'oméga-3.*

# FUSILLIS AUX LÉGUMES EN SAUCE CRÉMEUSE

**PORTIONS: 4**   **PRÉPARATION: 15 MIN**   **CUISSON: 15 MIN**

## Côté pratique

La plupart des fruits sont un modèle de commodité. Ils n'ont pas besoin d'être coupés et ne demandent qu'à être emportés! Pensez ajouter à la boîte à lunch des fruits frais comme une pomme, une poire, une orange, une pêche ou des raisins. Les fruits en conserve en portions individuelles sont aussi très pratiques. Choisissez les conserves à base d'eau ou de jus de fruits. Les mandarines, les salades de fruits ou la compote sans sucre ajouté représentent tous de bons choix.

## Côté santé

Cuisinez pour une famille de 12! Nos familles ne sont plus aussi grandes et nous avons appris à cuisiner en petite quantité. Nous préparons tout juste ce qu'il faut pour le souper, et c'est à peine s'il en reste pour le lunch du lendemain. Pourtant, cuire deux poulets plutôt qu'un seul, ce n'est pas plus long. Cuire huit portions de riz ou de pâtes plutôt que quatre prend le même temps. Vive les restes!

## Ingrédients

> 375 ml (1 1/2 tasse) de fusillis aux légumes
> 1 tomate en dés
> 1/2 concombre non pelé, coupé en quartiers, puis tranchés
> 125 ml (1/2 tasse) de carottes râpées
> 125 ml (1/2 tasse) de radis en tranches
> 1/2 poivron jaune en dés
> 2 oignons verts hachés
> 160 ml (2/3 tasse) de mayonnaise au tofu

### Mayonnaise au tofu

> 100 g (3 1/2 oz) de tofu mi-ferme
> 30 ml (2 c. à soupe) de jus de citron
> 5 ml (1 c. à thé) d'ail haché
> 5 ml (1 c. à thé) de moutarde de Dijon
> 5 ml (1 c. à thé) d'herbes de Provence
> 2,5 ml (1/2 c. à thé) de poivre moulu
> 1 ml (1/4 c. à thé) de sel
> 30 ml (2 c. à soupe) d'huile d'olive

## Préparation

1. Cuire les pâtes dans l'eau bouillante jusqu'à ce qu'elles soient tendres. Rincer à l'eau froide, égoutter et réserver.

2. Dans le bol du robot culinaire, mettre tous les ingrédients de la mayonnaise, sauf l'huile, et mélanger pendant une minute. Racler les rebords à l'aide d'une spatule. Toujours en mélangeant, verser l'huile en un mince filet par l'ouverture sur le couvercle du bol. Continuer à fouetter quelques secondes après avoir versé l'huile. Rectifier l'assaisonnement.

3. Dans un grand bol, mélanger les pâtes, les légumes et la mayonnaise au tofu.

4. Diviser dans des plats hermétiques pour la boîte à lunch et garder au froid jusqu'au repas.

### Valeur nutritive
(par portion)

| | |
|---|---|
| Énergie | 224 calories |
| Protéines | 7 g |
| Matières grasses | 8 g |
| Glucides | 31 g |
| Fibres alimentaires | 2,8 g |
| Sodium | 121 mg |
| Fer | 2,3 mg |
| Calcium | 47 mg |
| Oméga-3 | 0,1 g |

Raisins rouges

Cubes de cheddar orange

Œufs durs

Parfait à la vanille
*(recette p. 232)*

> *Faible en sodium.*
> *Source de fibres et de fer.*

# SALADE DE QUINOA AU FRIULANO

| PORTIONS: 4 | PRÉPARATION: 15 MIN | CUISSON: 20 MIN |
| --- | --- | --- |

## Côté pratique

En accompagnant les crudités d'une trempette réduite en gras ou même d'un peu de vinaigrette crémeuse, les légumes n'auront jamais été aussi appétissants aux yeux de votre enfant! Privilégiez des mélanges de plusieurs crudités, plutôt que d'offrir une grande quantité d'un seul légume. La variété des saveurs, des textures et des couleurs incitera à en manger davantage. Les légumes coupés qui se mangent en une seule bouchée sont parfaits pour les jeunes enfants qui ont un appétit d'oiseau.

## Côté santé

Le quinoa commence à peine à être connu des Québécois, bien qu'il soit consommé en Amérique du Sud depuis plus de 5 000 ans. Le quinoa se trouve facilement dans les magasins d'alimentation naturelle et dans certaines épiceries. Cette «pseudo-céréale» possède une teneur en protéines particulièrement élevée et elle est une bonne source de fer.

## Ingrédients

> 250 ml (1 tasse) de quinoa rincé et égoutté
> 500 ml (2 tasses) de jus de légumes à teneur réduite en sodium
> 125 ml (1/2 tasse) d'eau
> 2 tomates en dés
> 250 ml (1 tasse) de friulano en dés
> 125 ml (1/2 tasse) de basilic frais, haché
> Sel et poivre

## Préparation

1. Dans une casserole, mélanger le quinoa, le jus de légumes et l'eau. Porter à ébullition à feu moyen-vif. Couvrir, réduire à feu moyen-doux et laisser mijoter de 15 à 20 minutes, ou jusqu'à ce que le liquide soit absorbé. Retirer du feu, verser dans un grand bol et laisser tiédir quelques minutes.

2. Ajouter les tomates, le fromage et le basilic. Saler et poivrer, au goût. Diviser dans des plats hermétiques pour la boîte à lunch et garder au froid jusqu'au repas.

## Valeur nutritive
(par portion)

| | |
| --- | --- |
| Énergie | 312 calories |
| Protéines | 14 g |
| Matières grasses | 12 g |
| Glucides | 38 g |
| Fibres alimentaires | 4,5 g |
| Sodium | 311 mg |
| Fer | 5,0 mg |
| Calcium | 275 mg |
| Oméga-3 | 0,2 g |

## COMPLÉTEZ VOTRE BOÎTE À LUNCH

Pomme verte

Tranches de concombre
et lanières de poivron rouge

Grissini de blé entier

Biscuits énergie
*(recette p. 176)*

> *Excellente source de fer et de calcium.*
> *Bonne source de fibres.*

# COUSCOUS FRUITÉ

**PORTIONS: 4**  **PRÉPARATION: 15 MIN**  **CUISSON: 10 MIN**

## Côté pratique

Le couscous est un excellent
dépanneur pour la boîte à lunch.
On le fait gonfler environ 10 minutes
dans deux fois son volume de liquide
chaud, et le tour est joué. Utilisez
de l'eau, du bouillon de poulet
ou de légumes, du jus de légumes,
du jus de pomme ou d'orange pour
varier les saveurs de votre couscous.
Ensuite, place à l'improvisation!
Ajoutez des fruits, des légumes,
de la viande cuite ou des fruits de mer.
Succès assuré.

## Côté santé

La mangue est riche en bêta-carotène,
un caroténoïde connu pour ses
propriétés anticancéreuses. C'est aussi
une bonne source de fibres alimentaires, car un fruit moyen fournit 2 g
de fibres solubles et 2 g de fibres
insolubles. Les fibres solubles aident
à contrôler le cholestérol sanguin
et la glycémie (taux de sucre dans le
sang), alors que les fibres insolubles
contribuent surtout au bon
fonctionnement des intestins.

## Ingrédients

> 250 ml (1 tasse) de couscous sec
> 375 ml (1 1/2 tasse) de jus
  de pomme chaud
> 125 ml (1/2 tasse) d'eau bouillante
> 250 ml (1 tasse) de poulet cuit, en dés
> 125 ml (1/2 tasse) de raisins sultana secs
  (ou autre variété)
> 125 ml (1/2 tasse) d'abricots séchés,
  hachés (environ 10)
> 125 ml (1/2 tasse) de noix de Grenoble *
  hachées (facultatif)
> 1/2 poivron rouge en petits dés
> 2 oignons verts hachés
> 1 branche de céleri hachée
> 15 ml (1 c. à soupe) de vinaigre de cidre
> 15 ml (1 c. à soupe) d'origan séché
> Sel et poivre

## Préparation

1. Dans un grand bol, combiner
   le couscous, le jus de pomme et l'eau
   et laisser reposer 10 minutes ou jusqu'à
   ce que le couscous ait absorbé tout
   le liquide.
2. Pendant ce temps, dans un grand bol,
   mélanger tous les autres ingrédients.
   Ajouter le couscous et bien mélanger.
3. Diviser dans des plats hermétiques
   pour la boîte à lunch et garder au
   froid jusqu'au repas.

\* Attention: les arachides et les noix
sont interdites à l'école primaire.

## Valeur nutritive
(par portion)

| | |
|---|---|
| Énergie | 452 calories |
| Protéines | 20 g |
| Matières grasses | 11 g |
| Glucides | 70 g |
| Fibres alimentaires | 6,1 g |
| Sodium | 89 mg |
| Fer | 2,8 mg |
| Calcium | 75 mg |
| Oméga-3 | 1,4 g |

Cubes de mangue, fraîche ou surgelée

Radis

Yogourt aux fruits

Mini-brownies maison
*(recette p. 190)*

> *Excellente source de fibres et d'oméga-3. Bonne source de fer.*

# SALADE D'ORZO AUX TOMATES ET AUX BOCCONCINIS

**PORTIONS: 6**  **PRÉPARATION: 10 MIN**  **CUISSON: 10 MIN**

## Côté pratique

L'orzo est une minuscule pâte alimentaire italienne en forme de grain de riz. J'adore sa texture. Malheureusement, la remplacer par une autre pâte courte dans cette recette ne donnera pas d'aussi bons résultats. On trouve l'orzo dans la plupart des épiceries régulières, sinon dans toutes les épiceries italiennes. Faites-en cuire un peu plus et ajoutez-en dans votre soupe aux légumes.

## Côté santé

Vous voulez perdre du poids? Résistez à la tentation de suivre le nouveau régime à la mode. Les régimes qui prônent une perte de poids rapide sont largement inefficaces à long terme, en plus d'être dommageables pour la santé physique et psychologique. Mangez plutôt des aliments sains, adaptez vos portions à votre appétit, et limitez les aliments superflus, riches en gras et en sucres. Tout en étant actif, voilà la solution pour atteindre et maintenir un poids santé.

## Ingrédients

> 250 ml (1 tasse) d'orzo ou de petites nouilles italiennes
> 45 ml (3 c. à soupe) d'huile d'olive
> 250 ml (1 tasse) de tomates cerises coupées en 2
> 250 ml (1 tasse) de mini-bocconcinis coupés en 2
> 1 boîte de 170 g (6 oz) de thon pâle émietté, égoutté
> 125 ml (1/2 tasse) de basilic frais, haché
> 60 ml (1/4 tasse) de pignons (noix de pin)
> Jus de 1/2 citron
> 5 ml (1 c. à thé) d'ail haché
> Sel et poivre

## Préparation

1. Cuire l'orzo dans l'eau bouillante jusqu'à ce qu'il soit tendre.
   Égoutter et verser dans un grand bol. Ajouter l'huile et bien mélanger pour enrober les nouilles.
2. Ajouter les autres ingrédients de la recette. Saler et poivrer, au goût.
3. Diviser dans des plats hermétiques pour la boîte à lunch. Garder au froid jusqu'au repas.

## Valeur nutritive

(par portion)

| | |
|---|---|
| Énergie | 326 calories |
| Protéines | 18 g |
| Matières grasses | 15 g |
| Glucides | 17 g |
| Fibres alimentaires | 2,1 g |
| Sodium | 189 mg |
| Fer | 2,3 mg |
| Calcium | 70 mg |
| Oméga-3 | 0,2 g |

Jus de légumes à teneur
réduite en sodium

Raisins verts

Parfait à la vanille
*(recette p. 232)*

Pièces de monnaie aux figues
*(recette p. 188)*

**Bonne source de fer. Source de fibres et de calcium.**

# RIZ INDIEN

## Côté pratique

Vous connaissez les bienfaits du curcuma, mais ne savez pas trop comment l'intégrer à votre menu? Cette recette est un bon point de départ. Ajoutez aussi du curcuma à vos trempettes. Environ 5 ml (1 c. à thé) de curcuma dans 250 ml (1 tasse) de trempette pour légumes lui donnera une belle teinte orangée et un goût légèrement parfumé.

## Côté santé

Le curcuma est une racine qui ressemble au gingembre. Une fois séché et broyé, il sert à aromatiser le riz, les sauces et les vinaigrettes. Les curcuminoïdes, les molécules qui donnent la couleur orangée à cette épice, seraient efficaces pour prévenir certains cancers. Et n'oubliez pas que pour améliorer la biodisponibilité du curcuma, on doit lui ajouter du poivre.

## Ingrédients

> 250 ml (1 tasse) de riz basmati
> 500 ml (2 tasses) d'eau
> 5 ml (1 c. à thé) d'huile
> 5 ml (1 c. à thé) de poudre de cari
> 2,5 ml (1/2 c. à thé) de curcuma
> 250 ml (1 tasse) de crevettes surgelées, décortiquées
> 250 ml (1 tasse) de maïs en grains surgelé
> 1 poivron rouge en petits dés
> 2 oignons verts hachés
> 1 branche de céleri hachée
> 1 petite courgette hachée finement
> Le jus de 1/2 citron
> 30 ml (2 c. à soupe) d'huile d'olive
> 45 ml (3 c. à soupe) de coriandre fraîche, hachée finement
> Poivre concassé

## Préparation

1. Dans une casserole moyenne, mettre le riz, l'eau, l'huile, le cari et le curcuma. Mélanger pour bien dissoudre les épices. Porter à ébullition à feu moyen-élevé. Réduire à feu moyen-doux, couvrir et laisser mijoter 15 minutes. Ajouter les crevettes 5 minutes avant la fin de la cuisson du riz. Retirer du feu et laisser refroidir 5 minutes.

2. Ajouter ensuite tous les légumes et les assaisonnements dans la casserole de riz. Bien mélanger.

3. Diviser dans des plats hermétiques pour la boîte à lunch. Garder au froid jusqu'au repas.

## Valeur nutritive
(par portion)

| | |
|---|---|
| Énergie | 354 calories |
| Protéines | 18 g |
| Matières grasses | 9 g |
| Glucides | 51 g |
| Fibres alimentaires | 3,5 g |
| Sodium | 149 mg |
| Fer | 4,6 mg |
| Calcium | 59 mg |
| Oméga-3 | 0,3 g |

Lanières de poivron rouge

Raïta
*(recette p. 212)*

Pita frais

Salade verte surette
*(recette p. 238)*

*Excellente source de fer.*
*Source de fibres et d'oméga-3.*

# SALADE DE QUINOA À LA PATATE DOUCE

**PORTIONS: 4** | **PRÉPARATION: 10 MIN** | **CUISSON: 20 MIN**

## Côté pratique

Le quinoa est rapide à préparer et ajoute de la variété au menu. En Amérique du Nord, nous sommes très friands de blé. Nous mangeons du pain de blé, des pâtes de blé, des biscuits, des muffins, des crêpes, des gâteaux et tout le tralala à base de farine de blé. Pourquoi ne pas faire changement? Diversifiez votre alimentation en optant pour des grains moins connus comme le quinoa.

## Côté santé

La patate douce fait partie des meilleures sources de thiamine, aussi nommée vitamine B1. Vous voulez bien performer? Assurez-vous de consommer suffisamment de cette vitamine, puisqu'une carence se manifeste par des faiblesses, de l'irritabilité, des maux de tête et de la fatigue. On trouve aussi la thiamine dans le porc, le thon, le saumon, les produits céréaliers à grains entiers, les produits à base de soya et les légumineuses.

## Ingrédients

> 250 ml (1 tasse) de quinoa rincé et égoutté
> 250 ml (1 tasse) de jus de pomme
> 375 ml (1 1/2 tasse) d'eau
> 1 patate douce
> 1/2 poivron rouge en petits dés
> 1 branche de céleri hachée
> 2 oignons verts hachés
> 60 ml (1/4 tasse) de ciboulette hachée
> 30 ml (2 c. à soupe) d'huile d'olive
> 5 ml (1 c. à thé) de vinaigre de cidre
> Sel et poivre

## Préparation

1. Dans une casserole, mélanger le quinoa, le jus de pomme et l'eau. Porter à ébullition à feu moyen-vif. Couvrir, réduire à feu moyen-doux et laisser mijoter de 15 à 20 minutes, ou jusqu'à ce que le liquide soit absorbé.
2. Pendant la cuisson du quinoa, peler la patate douce et la couper en 4 morceaux. Hacher au robot culinaire et ajouter à la casserole environ 5 minutes avant la fin de la cuisson du quinoa. Retirer du feu, verser le quinoa et la patate douce dans un grand bol, et laisser tiédir quelques minutes.
3. Ajouter le poivron, le céleri, les oignons verts et la ciboulette, puis mélanger. Ajouter ensuite l'huile d'olive et le vinaigre de cidre. Saler et poivrer, au goût.
4. Diviser dans 4 plats hermétiques pour la boîte à lunch et garder au froid jusqu'au repas.

## Valeur nutritive
(par portion)

| | |
|---|---|
| Énergie | 285 calories |
| Protéines | 7 g |
| Matières grasses | 9 g |
| Glucides | 45 g |
| Fibres alimentaires | 4,4 g |
| Sodium | 81 mg |
| Fer | 4,7 mg |
| Calcium | 54 mg |
| Oméga-3 | 0,1 g |

Pomme rouge

Bouquets de brocoli

Pointes de fromage suisse

Pain à l'avoine et aux graines de lin *(recette p. 170)*

*Excellente source de fer.
Bonne source de fibres.*

# ORGE PRIMAVERA

**PORTIONS: 6** | **PRÉPARATION: 15 MIN** | **CUISSON: 45 MIN**

## Côté pratique

La partie blanche du poireau, nommée tout simplement «blanc de poireau», peut remplacer les oignons dans plusieurs recettes. Quoique faisant partie de la même famille, le poireau est plus facile à digérer que l'oignon et l'échalote. Quand au «vert de poireau» il entre souvent dans la composition du bouquet garni, un assortiment de thym, persil, laurier et poireau, ficelé et ajouté pendant la cuisson pour aromatiser les plats mijotés et les bouillons.

## Côté santé

Malgré sa réputation d'aliment bon-bon, le lait au chocolat est une boisson très nutritive. Il contient les mêmes vitamines et minéraux que le lait blanc. La seule différence: le lait au chocolat contient deux fois plus de sucre que le lait blanc (30 g contre 15 g de glucides pour 250 ml). Cependant, le jus de fruits contient également environ 30 g de glucides par tasse. Le lait au chocolat est donc une petite douceur santé à s'offrir sans remords!

## Ingrédients

> 1/4 d'oignon haché finement
> 5 ml (1 c. à thé) d'huile d'olive
> 250 ml (1 tasse) d'orge mondé
> 500 ml (2 tasses) d'eau
> 250 ml (1 tasse) de jus de tomate
> 5 ml (1 c. à thé) d'huile d'olive
> 1 poivron rouge en gros dés
> 1 poivron jaune en gros dés
> 250 ml (1 tasse) de haricots verts en tronçons de 2,5 cm (1 po)
> 1 blanc de poireau haché
> 2 tomates hachées
> 60 ml (1/4 tasse) de pesto de tomates séchées

## Préparation

1. Dans une casserole, cuire l'oignon dans l'huile à feu moyen pendant 5 minutes. Ajouter l'orge et remuer pour bien enrober. Cuire 1 minute avant d'ajouter l'eau et le jus de tomate. Couvrir et porter à ébullition. Réduire ensuite à feu doux et poursuivre la cuisson 40 minutes ou jusqu'à ce que les grains d'orge soient tendres.

2. Dix minutes avant la fin de la cuisson de l'orge, cuire tous les légumes à feu vif dans 5 ml (1 c. à thé) d'huile. Remuer continuellement jusqu'à ce que les légumes soient grillés. Réduire le feu, ajouter le pesto et l'orge, puis remuer pour bien enrober.

3. Diviser dans des plats hermétiques pour la boîte à lunch. Garder au froid jusqu'au repas.

## Valeur nutritive
(par portion)

| | |
|---|---|
| Énergie | 200 calories |
| Protéines | 6 g |
| Matières grasses | 5 g |
| Glucides | 36 g |
| Fibres alimentaires | 8,3 g |
| Sodium | 110 mg |
| Fer | 2,6 mg |
| Calcium | 45 mg |
| Oméga-3 | 0,1 g |

Lait au chocolat

Banane

Bâtonnets de carottes

Trempette aux haricots blancs
et au pesto *(recette p. 200)*

*Excellente source de fibres.*
*Faible en sodium. Bonne source de fer.*

# POMMES DE TERRE À LA SALSA ROSSA

| PORTIONS: 4 | PRÉPARATION: 15 MIN | CUISSON: 0 MIN |
| --- | --- | --- |

## Côté pratique

Parfois, je ne prépare que la salsa rossa et je l'utilise en trempette ou pour garnir un poisson grillé. Cette sauce froide savoureuse donnera un regain de vie à la plus pâlotte des salades de pâtes ou de pommes de terre. Le robot culinaire est essentiel pour préparer cette sauce. Le fait de mixer les ingrédients avec l'huile à grande vitesse crée une émulsion semblable à une mayonnaise. Impossible d'obtenir le même résultat autrement!

## Côté santé

Votre cerveau carbure aux glucides et, comme il ne peut pas faire de réserves, il doit en recevoir à chaque repas. Méfiez-vous des régimes qui bannissent pains, pâtes et pommes de terre. Ces aliments nourrissants font partie d'une alimentation équilibrée. Je dirais même que les produits céréaliers sont essentiels pour être en bonne santé. Choisissez surtout ceux de grains entiers et ne les inondez pas de gras!

## Ingrédients

> 500 ml (2 tasses) de pommes de terre grelots cuites et coupées en 2
> 250 ml (1 tasse) de poulet cuit, haché
> 4 cœurs d'artichauts en conserve, coupés en 4
> 1/2 poivron rouge en dés
> 60 ml (1/4 tasse) d'olives kalamata
> 2 oignons verts hachés

### Salsa rossa

> 60 ml (1/4 tasse) de poivron rouge mariné dans l'huile (environ 2 lanières ou 1/4 de poivron)
> 60 ml (1/4 tasse) de tomates séchées dans l'huile (environ 4 morceaux)
> 60 ml (1/4 tasse) de yogourt nature
> 5 ml (1 c. à thé) de miel
> Sel et poivre
> 30 ml (2 c. à soupe) d'huile d'olive

## Préparation

1. Dans un grand bol, mélanger tous les ingrédients de la salade.
2. Dans le bol du robot culinaire, ajouter tous les ingrédients de la salsa rossa, sauf l'huile, et mélanger pendant 2 minutes. Racler les rebords à l'aide d'une spatule et mélanger de nouveau pendant 2 minutes.
3. Toujours en mélangeant, verser l'huile en un mince filet par l'ouverture sur le couvercle du bol. Continuer à fouetter quelques secondes après avoir versé l'huile.
4. Rectifier l'assaisonnement et ajouter à la salade. Bien mélanger.
5. Diviser dans des plats hermétiques pour la boîte à lunch et garder au froid jusqu'au repas.

## Valeur nutritive
(par portion)

| | |
| --- | --- |
| Énergie | 281 calories |
| Protéines | 15 g |
| Matières grasses | 15 g |
| Glucides | 24 g |
| Fibres alimentaires | 3,9 g |
| Sodium | 191 mg |
| Fer | 1,6 mg |
| Calcium | 64 mg |
| Oméga-3 | 0,1 g |

Poire

Bâtonnets de concombre

Cubes de fontina

Barre granola maison
*(recette p. 172)*

> *Source de fibres, de fer et de calcium.*

# SALADES DE LÉGUMINEUSES

# SALADE GRECQUE

**PORTIONS: 6** | **PRÉPARATION: 15 MIN** | **CUISSON: 0 MIN**

## Côté pratique

Je ne pourrais plus me passer de mon dénoyauteur. Ce petit gadget de cuisine qui ressemble à un poinçon est absolument génial pour dénoyauter les olives et les cerises. Vous en trouverez pour à peine 10 $ dans les boutiques de cuisine. Combien de fois ai-je mis un temps fou à dénoyauter les olives kalamata avec un couteau? Plus jamais!

## Côté santé

Une alimentation riche en matières grasses a été associée à une augmentation des risques de cancer de la prostate. Mais toutes les matières grasses ne seraient pas en cause. Les coupables seraient plutôt les gras de la viande rouge et les gras saturés (d'origine animale). Messieurs, troquez ces aliments contre du poisson, des légumineuses et d'autres sources de bons gras, comme les huiles d'olive et de canola.

## Ingrédients

> 1 boîte de 540 ml (19 oz) de haricots rouges, rincés et égouttés
> 125 ml (1/4 tasse) d'olives kalamata
> 100 g (3 1/2 oz) de feta allégé, en dés
> 1 tomate en dés
> 1 concombre épépiné, en dés
> 1 poivron rouge en dés
> 1 boîte de 398 ml (14 oz) de cœurs d'artichauts égouttés
> 60 ml (1/4 tasse) d'oignon rouge haché (facultatif)

### Vinaigrette à la grecque

> 60 ml (1/4 tasse) d'huile d'olive extra-vierge
> 60 ml (1/4 tasse) d'origan frais haché
> 30 ml (2 c. à soupe) de vinaigre de vin rouge
> Jus de 1/2 citron
> Poivre du moulin

## Préparation

1. Dans un grand bol, mélanger tous les ingrédients, incluant ceux de la vinaigrette. Répartir dans des plats hermétiques pour la boîte à lunch et garder au froid jusqu'au repas.

## Valeur nutritive
(par portion)

| | |
|---|---|
| Énergie | 269 calories |
| Protéines | 11 g |
| Matières grasses | 14 g |
| Glucides | 27 g |
| Fibres alimentaires | 9,1 g |
| Sodium | 486 mg |
| Fer | 3,8 mg |
| Calcium | 160 mg |
| Oméga-3 | 0,3 g |

Melon miel

Tzatziki maison ou du commerce

Pita frais

Rochers aux amandes
*(recette p. 194)*

> *Excellente source de fibres et de fer. Source de calcium.*

# SALADE TEX-MEX

| PORTIONS: 6 | PRÉPARATION: 15 MIN | CUISSON: 0 MIN |

## Côté pratique

Cette salade colorée fera saliver les plus difficiles. Les légumineuses sont mélangées parmi une grande variété de légumes croquants. On n'a donc pas l'impression de ne mâchouiller que des légumineuses. C'est une salade idéale pour apprivoiser cet aliment boudé, qui est pourtant si nutritif et économique. Dans ce livre, je propose plusieurs recettes de légumineuses, en salade ou en trempette, en espérant qu'il y en ait au moins une pour vous convaincre de déguster plus souvent cet aliment gagnant.

## Côté santé

Selon une étude américaine récente, les femmes qui consomment des légumineuses (haricots rouges, pois chiches, lentilles) de deux à quatre fois par semaine diminueraient de 24 % leur risque d'être atteintes d'un cancer du sein, comparativement à celles qui en mangent moins d'une fois par mois.

## Ingrédients

> 1 boîte de 540 ml (19 oz) de haricots noirs, rincés et égouttés
> 500 ml (2 tasses) de riz basmati cuit ou 175 ml (3/4 tasse) de riz basmati sec, cuit dans 560 ml (2 1/4 tasses) d'eau
> 1 tomate en dés
> 250 ml (1 tasse) de maïs en grains surgelé
> 1 poivron rouge ou orange haché
> 2 branches de céleri hachées
> 2 oignons verts hachés
> 60 ml (1/4 tasse) de coriandre hachée (facultatif)

### Vinaigrette citron et cumin

> 60 ml (1/4 tasse) de jus de citron
> 30 ml (2 c. à soupe) d'eau
> 30 ml (2 c. à soupe) d'huile
> 2,5 ml (1/2 c. à thé) de cumin moulu
> 2,5 ml (1/2 c. à thé) d'ail
> 1 trait de sauce piquante (de type tabasco)
> Sel et poivre

## Préparation

1. Dans un grand bol, mélanger tous les ingrédients de la salade.
2. Dans un petit bol, fouetter les ingrédients de la vinaigrette, puis ajouter à la salade et bien mélanger.
3. Diviser la salade dans des plats hermétiques pour la boîte à lunch et garder au froid jusqu'au repas.

## Valeur nutritive
(par portion)

| | |
|---|---|
| Énergie | 231 calories |
| Protéines | 8 g |
| Matières grasses | 6 g |
| Glucides | 39 g |
| Fibres alimentaires | 7,3 g |
| Sodium | 189 mg |
| Fer | 2,4 mg |
| Calcium | 37 mg |
| Oméga-3 | 0,5 g |

Melon d'eau

Cubes de cheddar

Pointes de tortillas
croustillantes *(recette p. 210)*

Muffins rose bonbon
*(recette p. 178)*

> *Excellente source de fibres.
> Bonne source de fer. Source d'oméga-3.*

# SALADE DE POIS CHICHES À LA MAROCAINE

**PORTIONS: 4** | **PRÉPARATION: 10 MIN** | **CUISSON: 10 MIN**

## Côté pratique

J'ai toujours quelques boîtes de légumineuses dans mon garde-manger. Elles sont si pratiques que je ne me donne plus la peine de faire tremper et bouillir les légumineuses sèches. Une fois rincées, les légumineuses en conserve ont une valeur nutritive qui ressemble beaucoup à celle des légumineuses cuites à la maison, mais sans le trouble! Vous n'avez qu'à ouvrir la boîte, rincer, égoutter et ajouter à votre recette. Voilà!

## Côté santé

Vous avez l'habitude de manger salé? Le temps est venu de rééduquer vos papilles. Évitez d'utiliser la salière aux repas et assaisonnez vos plats avec des herbes et des épices. Vos papilles s'habitueront à des saveurs plus subtiles et plus variées. Au bout d'un mois, vous les aurez «sevrées» du goût du sel et goûterez mieux les aliments. Et si vous tombez sur un plat aussi salé qu'avant, vous le trouverez beaucoup trop salé, voire immangeable!

## Ingrédients

> 250 ml (1 tasse) de couscous sec
> 500 ml (2 tasses) de bouillon de poulet maison ou du commerce réduit en sodium, chaud.
> 15 ml (1 c. à soupe) de thym séché
> 7 ml (1/2 c. à soupe) de cumin moulu
> 5 ml (1 c. à thé) de graines de cumin
> 5 ml (1 c. à thé) de curcuma
> 2,5 ml (1/2 c. à thé) de piment de Cayenne
> 2,5 ml (1/2 c. à thé) de poivre
> 1 boîte de 540 ml (19 oz) de pois chiches, rincés et égouttés
> 1 carotte râpée
> 1 branche de céleri hachée
> 80 ml (1/3 tasse) d'oignon rouge haché
> Jus de 1 citron

## Préparation

1. Dans un grand bol, combiner le couscous, le bouillon et toutes les épices. Bien mélanger et laisser reposer 10 minutes ou jusqu'à ce que le couscous ait absorbé tout le liquide.
2. Pendant ce temps, dans un grand bol, mélanger tous les autres ingrédients. Ajouter le couscous et bien mélanger.
3. Diviser dans des plats hermétiques pour la boîte à lunch et garder au froid jusqu'au repas.

## Valeur nutritive
(par portion)

| | |
|---|---|
| Énergie | 353 calories |
| Protéines | 17 g |
| Matières grasses | 3 g |
| Glucides | 65 g |
| Fibres alimentaires | 10,4 g |
| Sodium | 73 mg |
| Fer | 5,2 mg |
| Calcium | 99 mg |
| Oméga-3 | 0,1 g |

## COMPLÉTEZ VOTRE BOÎTE À LUNCH

Jus de légumes à teneur réduite en sodium

Framboises

Pains pitas miniatures

Crème à l'orange
(recette p. 228)

Excellente source de fibres et de fer.
Faible en gras et en sodium.

# TABOULÉ YÉ-YÉ

**PORTIONS: 4** | **PRÉPARATION: 15 MIN** | **CUISSON: 15 MIN**

## Côté pratique

Le boulgour ressemble au couscous, mais sa valeur nutritive est supérieure. Ce blé concassé contient plus de fibres et il est moins raffiné. Son orthographe varie énormément selon les marques et les origines: boulghol, boulgour, boulghour, borghol, bulghur... Sachez que c'est du pareil au même! Pour un authentique taboulé, recherchez le boulgour fin.

## Côté santé

Pourquoi les Méditerranéens sont-ils en si bonne santé? Est-ce l'abondance de vin rouge et d'huile d'olive? Ce serait trop beau pour être vrai! Les études attribuent des bienfaits à ces produits, mais ce serait surtout grâce à leur consommation de fruits, de légumes, de légumineuses et de poissons riches en oméga-3, ainsi qu'à leur mode de vie actif et sans stress que les Méditerranéens ont si peu de maladie cardiaque, de diabète et de cancer.

## Ingrédients

> 125 ml (1/2 tasse) de boulgour fin
> 250 ml (1 tasse) d'eau bouillante
> 1 boîte de 540 ml (19 oz) de petits haricots blancs, rincés et égouttés
> 250 ml (1 tasse) de persil frais, haché finement
> 60 ml (1/4 tasse) de menthe fraîche, hachée finement
> 1 tomate en petits dés
> 1/2 concombre non pelé, en petits dés
> 60 ml (1/4 tasse) d'oignon rouge haché finement
> 15 ml (1 c. à soupe) d'huile d'olive
> Jus de 1 citron
> 5 ml (1 c. à thé) d'ail
> 1 trait de sauce piquante (de type tabasco)
> Sel et poivre

## Préparation

1. Dans un bol, mettre le boulgour et verser l'eau bouillante. Couvrir et laisser reposer 15 minutes, ou jusqu'à ce que l'eau soit absorbée et que les grains de boulgour soient tendres. Séparer les grains à l'aide d'une fourchette.
2. Dans un grand bol, mélanger tous les ingrédients de la salade. Ajouter le boulgour et mélanger. Rectifier l'assaisonnement. Diviser dans des plats hermétiques pour la boîte à lunch et garder au froid jusqu'au repas.

## Valeur nutritive
(par portion)

| | |
|---|---|
| Énergie | 254 calories |
| Protéines | 12 g |
| Matières grasses | 3 g |
| Glucides | 44 g |
| Fibres alimentaires | 15 g |
| Sodium | 59 mg |
| Fer | 5 mg |
| Calcium | 122 mg |
| Oméga-3 | 0,2 g |

Radis

Pain pita frais

Yogourt aux pêches

Méli-mélo aux fruits
*(recette p. 244)*

*Excellente source de fibres et de fer. Faible en gras et en sodium.*

# SALADE DE LENTILLES AUX POMMES

**PORTIONS: 4**  **PRÉPARATION: 15 MIN**  **CUISSON: 0 MIN**

## Côté pratique

Cette vinaigrette maison aux pommes et à l'érable est absolument savoureuse, d'autant plus qu'elle contient moins de gras et de sel que les vinaigrettes du commerce. Prenez l'habitude de préparer vos propres vinaigrettes. C'est simple et rapide. Consultez l'index des vinaigrettes de ce livre, à la page 24. Vous avez beaucoup de choix!

## Côté santé

Une carence en fer peut causer de la fatigue, des faiblesses et des problèmes de concentration au travail ou à l'école. La meilleure source de fer est la viande, mais si vous n'en êtes pas friand, sachez que cette recette est aussi une excellente source de fer. Les lentilles contiennent du fer végétal. Pour améliorer son absorption par le corps, jumelez les lentilles à une source de vitamine C. Dans cette recette, j'ai opté pour la pomme.

## Ingrédients

> 1 boîte de 540 ml (19 oz) de lentilles brunes, rincées et égouttées
> 2 pommes rouges bien fermes, non pelées et coupées en dés
> 1 échalote française hachée
> 1 branche de céleri hachée
> Sel et poivre

### Vinaigrette aux pommes et à l'érable

> 15 ml (1 c. à soupe) de jus de pomme
> 15 ml (1 c. à soupe) de sirop d'érable
> 5 ml (1 c. à thé) de vinaigre de cidre
> 5 ml (1 c. à thé) de moutarde de Dijon
> 2,5 ml (1/2 c. à thé) d'ail
> 60 ml (1/4 tasse) d'huile d'olive

## Préparation

1. Dans un grand bol, mélanger tous les ingrédients de la salade.
2. Dans un bol moyen, mélanger tous les ingrédients de la vinaigrette, sauf l'huile.
3. Verser l'huile en un mince filet en fouettant vigoureusement pour créer une émulsion.
4. Ajouter la vinaigrette à la salade et mélanger. Diviser dans des plats hermétiques pour la boîte à lunch et garder au froid jusqu'au repas.

## Valeur nutritive
(par portion)

| | |
|---|---|
| Énergie | 300 calories |
| Protéines | 10 g |
| Matières grasses | 14 g |
| Glucides | 36 g |
| Fibres alimentaires | 10,5 g |
| Sodium | 70 mg |
| Fer | 3,9 mg |
| Calcium | 37 mg |
| Oméga-3 | 0,2 g |

## COMPLÉTEZ VOTRE BOÎTE À LUNCH

Oranges

Haricots verts crus

Cubes de gouda

Biscuits énergie
*(recette p. 176)*

*Excellente source de fibres et de fer.*
*Faible en sodium.*

# HARICOTS DE LIMA
# AUX HERBES FRAÎCHES

**PORTIONS: 4**  **PRÉPARATION: 15 MIN**  **CUISSON: 0 MIN**

## Côté pratique

L'oseille, une laitue au goût citronné, ajoutera de la vie à vos laitues classiques. Quelques feuilles déchiquetées mélangées à une laitue frisée, romaine ou Boston, et le tour est joué. De plus en plus d'épiceries offrent l'oseille toute l'année. Sinon, on peut se procurer des semences dans les pépinières et cultiver cette plante vivace dans un pot près d'une fenêtre ensoleillée. C'est facile à cultiver et les jeunes pousses sont moins acides. Ajoutez-les aussi à vos sandwiches!

## Côté santé

On attribue toutes sortes de bienfaits aux fines herbes, mais peuvent-elles réellement améliorer notre santé? Elles contiennent des vitamines et des antioxydants, mais nous n'en con-sommons pas assez pour en tirer des avantages. Ainsi, il faudrait consommer 75 ml (15 c. à thé) de thym pour obtenir la même quantité de calcium que celle fournie par un verre de lait, et 50 ml (10 c. à thé) de romarin pour obtenir la quantité de fer de 100 g de bœuf.

## Ingrédients

> 1 boîte de 540 ml (19 oz) de petits haricots de Lima rincés et égouttés
> 375 ml (1 1/2 tasse) de tomates cerises coupées en 2
> 1/2 poivron jaune en gros dés
> 60 ml (1/4 tasse) d'oignon rouge en fines lamelles
> 125 ml (1/2 tasse) d'oseille fraîche, hachée grossièrement
> 125 ml (1/2 tasse) de basilic frais, haché grossièrement
> 125 ml (1/2 tasse) d'estragon frais, haché finement
> Sel et poivre
> 250 ml (1 tasse) de fromage de chèvre frais, non affiné (chèvre blanc) ou de labneh

## Préparation

1. Dans un bol, mélanger tous les ingrédients sauf le fromage de chèvre. Saler et poivrer, au goût.
2. Diviser dans des plats hermétiques pour la boîte à lunch. Garder au froid jusqu'au repas.
3. Diviser le fromage de chèvre en 4 portions de 60 ml (1/4 tasse) dans des petits plats hermétiques pour la boîte à lunch. Garder au froid et ajouter le fromage sur la salade au moment du repas.

## Valeur nutritive
(par portion)

| | |
|---|---|
| Énergie | 278 calories |
| Protéines | 18 g |
| Matières grasses | 13 g |
| Glucides | 25 g |
| Fibres alimentaires | 6,7 g |
| Sodium | 259 mg |
| Fer | 4,7 mg |
| Calcium | 164 mg |
| Oméga-3 | 0,1 g |

Nectarine

Yogourt aux petits fruits

Mini Grissol de blé entier

Muffins miniatures choco-bananes *(recette p. 168)*

*Excellente source de fibres et de fer. Source de calcium.*

# LÉGUMINEUSES AUX FIGUES ET AUX NOISETTES

**PORTIONS: 6** | **PRÉPARATION: 15 MIN** | **CUISSON: 0 MIN**

## Côté pratique

Vous ne vous lasserez jamais de cette recette si vous prenez la peine de varier les fromages et les noix. Conservez toujours la même base de légumes et de légumineuses, mais changez les autres ingrédients. Le fromage bleu et les noix de Grenoble, le jarlsberg et les pistaches, le brie et les amandes... Formez des duos savoureux au gré de vos envies. Et troquez les figues séchées pour des fraîches en saison, ou optez pour des poires et ajoutez-les à la dernière minute.

## Côté santé

À l'épicerie, recherchez les noix «nature», «naturelles», «crues» ou «rôties à sec» et méfiez-vous du terme «rôties» mentionné seul, puisqu'il indique souvent que la noix a été rôtie dans l'huile. Si l'huile fait partie de la liste des ingrédients, les noix seront beaucoup plus riches en matières grasses. Choisissez plutôt des noix naturelles et grillez-les vous-même dans une poêle, sans gras, pour rehausser leur saveur.

## Ingrédients

> 1 boîte de 540 ml (19 oz) de haricots mélangés, rincés et égouttés
> 250 ml (1 tasse) de figues séchées hachées
> 125 ml (1/2 tasse) de copeaux de chèvre noir (fromage de chèvre vieilli à pâte ferme)
> 125 ml (1/2 tasse) de noisettes * nature, entières ou concassées (facultatif)
> 1 branche de céleri hachée
> 1 échalote française hachée

### Vinaigrette aux noisettes et à l'érable

> 15 ml (1 c. à soupe) de sirop d'érable
> 15 ml (1 c. à soupe) de jus de citron
> 5 ml (1 c. à thé) de moutarde de Dijon
> 5 ml (1 c. à thé) d'herbes de Provence
> Sel et poivre
> 60 ml (1/4 tasse) d'huile de noisette

## Préparation

1. Dans un grand bol, mélanger tous les ingrédients de la salade. Diviser dans des plats hermétiques pour la boîte à lunch et garder au froid jusqu'au repas.
2. Dans un bol moyen, mélanger tous les ingrédients de la vinaigrette, sauf l'huile.
3. Verser l'huile en un mince filet en fouettant vigoureusement pour créer une émulsion. Verser dans 4 petits plats hermétiques pour la boîte à lunch et ajouter à la salade à la dernière minute.

\* Attention: les arachides et les noix sont interdites à l'école primaire.

## Valeur nutritive
(par portion)

| | |
|---|---|
| Énergie | 412 calories |
| Protéines | 14 g |
| Matières grasses | 17 g |
| Glucides | 38 g |
| Fibres alimentaires | 8,3 g |
| Sodium | 119 mg |
| Fer | 3,5 mg |
| Calcium | 277 mg |
| Oméga-3 | 0,1 g |

Yogourt à boire
*(recette p. 242)*

Tomates cerise

Croûtons de pain baguette

Salade verte surette
*(recette p. 238)*

*Excellente source de fibres, de fer et de calcium.*

# HARICOTS BLANCS AUX CREVETTES DE MATANE

**PORTIONS: 4** | **PRÉPARATION: 15 MIN** | **CUISSON: 0 MIN**

## Côté pratique

Au Québec, ce que l'on désigne sous le nom de «crevettes de Matane» sont en fait des crevettes nordiques, toutes petites crevettes très tendres qui conviennent parfaitement aux salades et aux sandwiches. On en trouve facilement à l'état frais ou surgelé. Elles seront de meilleure qualité que les crevettes à salade en conserve. Pêchées au large du Saint-Laurent, on les appelle crevettes de Matane parce que c'est là que l'on a construit la première usine de transformation au Québec.

## Côté santé

Les Canadiens consomment en moyenne 10 g de fibres alimentaires par jour alors qu'il est recommandé d'en consommer trois fois plus. À chaque repas, choisissez des recettes qui fournissent au moins 4 g de fibres par portion et composez vos collations de fruits, de légumes, de noix ou de produits céréaliers à grains entiers. Vous atteindrez ainsi les 30 g de fibres recommandés quotidiennement. Et n'oubliez pas que pour que les fibres soient efficaces et mieux tolérées, il faut bien s'hydrater.

## Ingrédients

> 1 boîte de 540 ml (19 oz) de haricots blancs, rincés et égouttés
> 1 boîte de 398 ml (14 oz) de cœurs de palmiers en demi-lunes (ou tranchés)
> 250 ml (1 tasse) de crevettes de Matane cuites (ou de petites crevettes à salade)
> 500 ml (2 tasses) de jeunes pousses d'épinards
> 1/2 poivron rouge en dés
> 1/2 concombre non pelé, en dés
> 2 oignons verts hachés

### Vinaigrette à l'orange et au gingembre

> 30 ml (2 c. à soupe) de zeste d'orange râpé
> 30 ml (2 c. à soupe) de jus d'orange
> 15 ml (1 c. à soupe) de miel
> 5 ml (1 c. à thé) de moutarde de Dijon
> 5 ml (1 c. à thé) de gingembre frais, râpé
> 60 ml (1/4 tasse) d'huile de canola

## Préparation

1. Dans un grand bol, mélanger tous les ingrédients de la salade. Diviser dans des plats hermétiques pour la boîte à lunch et garder au froid jusqu'au repas.
2. Dans un bol moyen, mélanger tous les ingrédients de la vinaigrette, sauf l'huile.
3. Verser l'huile en un mince filet en fouettant vigoureusement pour créer une émulsion. Verser dans 4 petits plats hermétiques pour la boîte à lunch et ajouter à la salade à la dernière minute.

## Valeur nutritive
(par portion)

| | |
|---|---|
| Énergie | 369 calories |
| Protéines | 24 g |
| Matières grasses | 11 g |
| Glucides | 36 g |
| Fibres alimentaires | 8,9 g |
| Sodium | 408 mg |
| Fer | 7,9 mg |
| Calcium | 175 mg |
| Oméga-3 | 1,4 g |

Jus d'orange

Kiwi

Lait
(servi avec les biscotti)

Biscotti choco-amandes
*(recette p. 166)*

> *Excellente source de fibres,*
> *de fer et d'oméga-3.*

METS FROIDS

# ROULEAUX PRINTANIERS

**PORTIONS: 4** | **PRÉPARATION: 20 MIN** | **CUISSON: 0 MIN**

## Côté pratique

Même s'ils sont plutôt longs à préparer, ces rouleaux sont pratiques pour ajouter de la variété à la boîte à lunch. Bien emballés dans une pellicule plastique, ils se conservent plusieurs jours au frigo. Alors pourquoi ne pas transformer la préparation des rouleaux en activité familiale pour meubler un dimanche après-midi? Vos enfants s'amuseront à agencer les légumes et les herbes fraîches pour créer des rouleaux à leur goût.

## Côté santé

Rouleaux printaniers et rouleaux impériaux: du pareil au même? Détrompez-vous! Tous deux sont composés d'une feuille de riz garnie de légumes, de viande et de fines herbes. Cependant, les rouleaux printaniers sont consommés tels quels alors que les rouleaux impériaux sont frits dans l'huile avant d'être servis. Cette étape supplémentaire ajoute une texture croustillante, mais aussi 10 fois plus de matières grasses!

## Ingrédients

> 8 feuilles de riz
> 8 feuilles de laitue Boston
> 125 ml (1/2 tasse) de menthe fraîche
> 125 ml (1/2 tasse) de coriandre fraîche
> 125 ml (1/2 tasse) de carottes râpées ou de carottes marinées à l'orange
  *(recette p. 222)*
> 1/2 poivron rouge en julienne
> 1/2 concombre en julienne
> 8 grosses crevettes coupées en 2 sur la longueur

### Sauce hoisin crémeuse

> 125 ml (1/2 tasse) de yogourt nature
> 30 ml (2 c. à soupe) de sauce hoisin (un condiment asiatique)
> 15 ml (1 c. à soupe) de miel

## Préparation

1. Passer chaque feuille de riz sous l'eau pour la ramollir. Égoutter et placer sur un linge humide. Garnir en plaçant d'abord une feuille de laitue au centre de la feuille de riz.
2. Placer ensuite tous les ingrédients en une seule ligne au centre de la feuille.
3. Rouler la feuille de riz comme un cigare, en repliant les côtés en premier.
4. Emballer chaque rouleau individuellement dans une pellicule plastique. Garder au froid jusqu'au repas.
5. Dans un bol, mélanger le yogourt, la sauce hoisin et le miel. Diviser dans 4 petits bols hermétiques pour la boîte à lunch. Garder au froid jusqu'au repas.
6. Au repas, tremper le rouleau dans la sauce hoisin crémeuse et déguster.

## Valeur nutritive
(par portion)

| | |
|---|---|
| Énergie | 164 calories |
| Protéines | 7 g |
| Matières grasses | 1 g |
| Glucides | 34 g |
| Fibres alimentaires | 2,6 g |
| Sodium | 427 mg |
| Fer | 2,7 mg |
| Calcium | 122 mg |
| Oméga-3 | 0,1 g |

Boisson de soya

Salade de fruits exotiques
*(recette p. 248)*

Yogourt aux fruits

Biscuits secs

*Bonne source de fer.*
*Source de fibres et de calcium.*

# PETITS PAINS AU JAMBON

## Côté pratique

Vous en avez assez du sempiternel sandwich? Ce muffin au jambon revitalisera votre boîte à lunch. Simple à préparer, il se congèle et se mange chaud ou froid. Vous pouvez changer de fromage et varier les fines herbes pour un goût toujours renouvelé. Le secret de sa tendreté? Les pommes de terre pilées! Passez-y vos restes de purée de pommes de terre, et le tour est joué!

## Côté santé

Le fromage ajoute des protéines et du calcium à vos recettes, mais possède aussi beaucoup de matières grasses. Vous pouvez privilégier les fromages allégés ou opter pour une petite quantité de fromage fort ou vieilli. Lorsque le fromage est très goûteux, il en faut peu pour donner beaucoup de goût à une recette. Complétez alors votre repas avec une autre source de protéines plus maigres.

## Ingrédients

> 250 ml (1 tasse) de purée de pommes de terre (ou 2 pommes de terre, cuites et pilées)
> 250 ml (1 tasse) de jambon haché
> 250 ml (1 tasse) de cheddar fort râpé
> 250 ml (1 tasse) de lait
> 2 œufs
> 30 ml (2 c. à soupe) de romarin frais, haché
> Poivre
> 500 ml (2 tasses) de farine tout-usage
> 15 ml (1 c. à soupe) de levure chimique (poudre à pâte)
> 5 ml (1 c. à thé) de muscade

## Préparation

1. Préchauffer le four à 180 °C (350 °F).
2. Dans un grand bol, mélanger à la fourchette la purée de pommes de terre, le jambon, le cheddar, le lait, les œufs, le romarin et le poivre.
3. Dans un autre bol, mélanger la farine, la levure chimique et la muscade. Ajouter aux ingrédients liquides et bien mélanger à la fourchette pour bien humecter.
4. Remplir 8 moules à muffins antiadhésifs de taille moyenne et cuire au four environ 45 minutes. Laisser refroidir 15 minutes à la température ambiante. Emballer individuellement et garder au froid jusqu'au repas.

## Valeur nutritive
(par portion)

| | |
|---|---|
| Énergie | 266 calories |
| Protéines | 14 g |
| Matières grasses | 8 g |
| Glucides | 35 g |
| Fibres alimentaires | 1,8 g |
| Sodium | 334 mg |
| Fer | 2,4 mg |
| Calcium | 237 mg |
| Oméga-3 | 0,1 g |

Jus de légumes à teneur réduite en sodium

Clémentines

Tranches de concombre et lanières de poivron rouge

Trempette cajun
*(recette p. 214)*

*Bonne source de fer et de calcium.*

# QUICHE LOUISIANAISE

**PORTIONS: 4** · **PRÉPARATION: 15 MIN** · **CUISSON: 50 MIN** · **ATTENTE: 10 MIN**

## Côté pratique

J'adore cette croûte de tortillas. Elle est simple à préparer et beaucoup moins grasse que les pâtes à tartes régulières. On peut choisir différentes tortillas comme celles aux légumes, au blé entier ou à la graine de lin. Pour encore plus d'effet, créez des quiches individuelles en façonnant de petites tortillas dans des moules à muffins moyens. Faites la précuisson comme précisé à l'étape 3 et poursuivez la recette telle quelle.

## Côté santé

Saviez-vous qu'une personne en bonne santé peut consommer jusqu'à sept œufs par semaine? Pour leur part, les personnes souffrant de maladies du cœur ou ayant un taux de cholestérol sanguin élevé devraient se limiter à trois ou quatre œufs par semaine. De nombreuses études scientifiques ont démontré que ce ne sont pas les œufs qu'il faut restreindre, mais bien les accompagnements classiques de l'œuf, comme le bacon et les saucisses.

## Ingrédients

> 4 tortillas de blé entier
> 5 ml (1 c. à thé) d'huile de canola
> 4 œufs
> 125 ml (1/2 tasse) de cheddar fort râpé
> 125 ml (1/2 tasse) de lait
> 125 ml (1/2 tasse) de maïs en grains
> 1/2 poivron rouge en dés
> 1 oignon vert haché
> Épices cajuns
> Poivre

## Préparation

1. Préchauffer le four à 180 °C (350 °F).
2. Disposer les tortillas dans le fond d'une assiette à tarte profonde d'un diamètre de 25 cm (10 po). Les placer pour qu'elles dépassent de l'assiette de façon à former une fleur.
3. Badigeonner d'huile et cuire au four 5 minutes. Réserver.
4. Dans un bol, battre les œufs à l'aide d'un fouet. Ajouter tous les ingrédients et assaisonner. Verser sur les tortillas.
5. Cuire au four environ 45 minutes ou jusqu'à ce que le centre de la quiche soit cuit. Laisser refroidir 10 minutes à la température ambiante. Couper en 4 portions, placer dans des plats hermétiques pour la boîte à lunch et garder au froid jusqu'au repas.

## Valeur nutritive
(par portion)

| | |
|---|---|
| Énergie | 317 calories |
| Protéines | 16 g |
| Matières grasses | 15 g |
| Glucides | 31 g |
| Fibres alimentaires | 2,3 g |
| Sodium | 465 mg |
| Fer | 2,8 mg |
| Calcium | 227 mg |
| Oméga-3 | 0,2 g |

Cubes de papaye

Petite salade verte et vinaigrette

Pointes de cheddar fort

Pain aux poires et aux épices
*(recette p. 184)*

Bonne source de fer et de calcium.
*Source de fibres.*

# MINI-QUICHES AU CRABE

**PORTIONS: 4** | **PRÉPARATION: 15 MIN** | **CUISSON: 0 MIN** | **ATTENTE: 2 MIN**

## Côté pratique

Les enfants adorent manger des aliments en petites bouchées. Plutôt que de préparer une quiche dans une assiette à tarte, préparez-la dans des mini-moules à muffins. La même quiche fera deux fois plus d'effet! Faites de même pour les biscuits, les muffins, les pains au saumon ou à la viande. Créez des mini-sandwiches en découpant des formes à l'emporte-pièce dans les sandwiches réguliers. Parions que ces mini-portions remporteront un maxi-succès!

## Côté santé

Tapissez le fond du moule de tranches de pain de blé entier aplaties avec un rouleau à pâtisserie et badigeonnées d'huile d'olive. Faites griller cette croûte de pain de 5 à 10 minutes, à 180 °C (350 °F), avant d'ajouter la préparation à base d'œufs. Vous manquez de temps? Étendez plutôt des croûtons au fond du moule puis ajoutez les œufs. Dans les deux cas, votre quiche contiendra presque cinq fois moins de gras qu'une quiche faite de pâte à tarte.

## Ingrédients

> 250 ml (1 tasse) de croûtons nature
> 125 ml (1/2 tasse) de mozzarella partiellement écrémée, en dés
> 125 g (4 oz) de chair de crabe en conserve, égouttée
> 4 œufs
> 125 ml (1/2 tasse) de lait
> 15 ml (1 c. à soupe) d'herbes de Provence
> 5 ml (1 c. à thé) de paprika
> Sel et poivre

## Préparation

1. Préchauffer le four à 180 °C (350 °F).
2. Répartir les croûtons dans 8 moules à muffins antiadhésifs de taille moyenne.
3. Répartir ensuite le fromage et le crabe dans les moules à muffins.
4. Dans un grand bol, fouetter les œufs avec le lait et les assaisonnements. Battre vigoureusement pour incorporer de l'air à la préparation afin que les quiches gonflent bien à la cuisson.
5. Verser la préparation dans les moules à muffins.
6. Cuire au four 20 minutes, ou jusqu'à ce que les mini-quiches soient dorées.
7. Laisser tiédir quelques minutes avant de transférer les quiches dans des plats hermétiques pour la boîte à lunch. Garder au froid jusqu'au repas.

## Valeur nutritive
(par portion)

| | |
|---|---|
| Énergie | 183 calories |
| Protéines | 18 g |
| Matières grasses | 8 g |
| Glucides | 9 g |
| Fibres alimentaires | 0,8 g |
| Sodium | 362 mg |
| Fer | 2,5 mg |
| Calcium | 222 mg |
| Oméga-3 | 0,3 g |

**COMPLÉTEZ VOTRE BOÎTE À LUNCH**

Prunes

Tranches de concombre
et bâtonnets de carottes

Tartinade aux légumes
du marché *(recette p. 202)*

Craquelins de blé entier

Bonne source de fer et de calcium.
Source d'oméga-3.

# FRITTATA AUX LÉGUMES

**PORTIONS: 6** | **PRÉPARATION: 15 MIN** | **CUISSON: 55 MIN**

## Côté pratique

La frittata est grosso modo une quiche sans croûte. Elle contient une abondance de légumes colorés. Vous manquez de temps? Achetez des légumes frais déjà coupés ou un mélange de légumes surgelés. Votre recette sera prête en deux temps, trois mouvements. Cueillis lorsqu'ils ont atteint leur plein potentiel d'éléments nutritifs, les légumes surgelés sont un choix santé qu'il ne faut pas bouder.

## Côté santé

Tous les laits — 3,25 %, 2 %, 1 % ou écrémé — ont une valeur nutritive semblable. Peu importe le pourcentage de matières grasses, ils contiennent tous sensiblement la même quantité de protéines, de glucides, de calcium, de vitamine D et des autres vitamines et minéraux qui font du lait un aliment très nutritif. Seule la teneur en matières grasses varie légèrement.

## Ingrédients

> 1/2 oignon rouge haché finement
> 2 carottes râpées
> 1/2 poivron rouge en dés
> 1 petite courgette en dés
> 5 champignons blancs hachés
> 60 ml (1/4 tasse) de tomates séchées dans l'huile et hachées
> 6 œufs
> 250 ml (1 tasse) de lait
> 15 ml (1 c. à soupe) d'herbes de Provence
> Sel et poivre
> 250 ml (1 tasse) de cheddar râpé

## Préparation

1. Préchauffer le four à 180 °C (350 °F).
2. Dans une poêle à hauts rebords ou un wok, faire revenir les légumes à feu vif pendant 10 minutes sans ajouter de matière grasse. Cette étape permet aux légumes de perdre une partie de l'eau qu'ils contiennent afin d'éviter de détremper la frittata.
3. Placer les légumes au fond d'un moule rectangulaire allant au four.
4. Dans un grand bol, fouetter vigoureusement les œufs et le lait, et assaisonner. Verser la préparation sur les légumes.
5. Garnir de cheddar râpé, et cuire au four 45 minutes ou jusqu'à ce que le centre de la frittata soit complètement cuit.
6. Laisser refroidir avant de tailler en carrés de 5 cm (2,5 po) de côté. Diviser en 6 portions et conserver dans des plats hermétiques pour la boîte à lunch. Garder au froid jusqu'au repas.

## Valeur nutritive

(par portion)

| | |
|---|---|
| Énergie | 151 calories |
| Protéines | 13 g |
| Matières grasses | 7 g |
| Glucides | 8 g |
| Fibres alimentaires | 2 g |
| Sodium | 258 mg |
| Fer | 1,9 mg |
| Calcium | 176 mg |
| Oméga-3 | 0,1 g |

## COMPLÉTEZ VOTRE BOÎTE À LUNCH

Raisins secs

Fromage de chèvre à tartiner

Toast melba

Purée cent façons
*(recette p. 246)*

*Bonne source de calcium.*
*Source de fibres et de fer.*

# GASPACHO

## Côté pratique

Connaissez-vous cette soupe froide espagnole? Quel délice! En plus, c'est tellement simple à préparer. Faites le ménage du frigo et utilisez tous les légumes que vous voulez, sans oublier les tomates. Si le résultat est trop liquide, ajoutez-y de la chapelure jusqu'à la texture désirée. Si le résultat est trop épais, diluez simplement avec de l'eau. Pour un repas vite fait, ajoutez de la pâte de tomate au gaspacho, chauffez et servez sur des pâtes fraîches. Rapido, presto!

## Côté santé

Le gaspacho est une soupe servie froide, sans cuisson. En plus des tomates, on peut y intégrer d'autres légumes, comme les concombres, les poivrons et les oignons, des herbes, comme le basilic et la coriandre, et même y ajouter une touche de piment pour relever sa saveur. En un instant, vous obiendrez une soupe débordante d'antioxydants et idéale pour déguster les légumes autrement.

## Ingrédients

> 1 boîte de 796 ml (28 oz) de tomates étuvées, égouttées
> 1/2 oignon rouge
> 1 poivron rouge épépiné et coupé en 4
> 1 concombre, pelé et coupé en tronçons
> 1 branche de céleri coupée en tronçons
> 1 bouquet de basilic
> 5 ml (1 c. à thé) d'ail haché

## Préparation

1. Au robot culinaire, réduisez tous les ingrédients en purée. Verser dans des plats hermétiques pour la boîte à lunch et garder au froid jusqu'au repas.

## Valeur nutritive
(par portion)

| | |
|---|---|
| Énergie | 61 calories |
| Protéines | 2 g |
| Matières grasses | 2 g |
| Glucides | 11 g |
| Fibres alimentaires | 2,2 g |
| Sodium | 255 mg |
| Fer | 0,9 mg |
| Calcium | 31 mg |
| Oméga-3 | 0,1 g |

Pêche

Cubes de mozzarella

Mini Grissol et trempette
aux haricots blancs et au pesto
*(recette p. 200)*

Délice du randonneur
*(recette p. 234)*

*Riche en antioxydants.*
*Faible en gras. Source de fibres.*

# ÉTAGÉ DE POLENTA AU THON

**PORTIONS: 4** | **PRÉPARATION: 15 MIN** | **CUISSON: 5 MIN**

## Côté pratique

L'Agence canadienne d'inspection des aliments recommande de laver tous les fruits et légumes à l'eau courante pendant au moins... 20 secondes! Le simple fait de frotter votre pomme sur votre pantalon ou de passer rapidement vos légumes sous l'eau n'est donc pas suffisant pour éliminer les résidus de pesticides et d'autres produits pouvant se trouver sur la pelure des aliments. Ouste les pesticides!

## Côté santé

Le raisin rouge contient des polyphénols, des composés antioxydants. Bien que sa teneur en polyphénols soit 10 fois moins élevée que celle du vin rouge, le raisin rouge aurait tout de même un rôle à jouer dans la prévention des cancers du sein, du côlon et de l'œsophage. Les raisins fournissent aussi une bonne quantité de fibres alimentaires et plusieurs vitamines, mais ils ne contiennent pas d'alcool, contrairement au vin!

## Ingrédients

> 250 ml (1 tasse) d'eau
> 250 ml (1 tasse) de lait
> 125 ml (1/2 tasse) de semoule de maïs fine
> 60 ml (1/4 tasse) de pesto de basilic
> 60 ml (1/4 tasse) de tomates séchées dans l'huile et hachées (environ 4 morceaux)
> 5 ml (1 c. à thé) d'ail haché
> 1 boîte de 170 g (6 oz) de thon pâle émietté, égoutté
> 125 ml (1/2 tasse) de ricotta
> Sel et poivre
> 2 tomates en petits dés

## Préparation

1. Dans une casserole moyenne, porter l'eau et le lait à ébullition. Retirer du feu et ajouter la semoule en fouettant continuellement jusqu'à ce que la préparation épaississe. Ajouter le pesto, les tomates séchées et l'ail, puis mélanger. Diviser la polenta dans 4 plats hermétiques pour la boîte à lunch.
2. Dans un bol, mélanger le thon et la ricotta. Saler et poivrer, au goût. Ajouter sur la polenta.
3. Garnir de tomates en dés. Refermer les plats et garder au froid jusqu'au repas.

## Valeur nutritive
(par portion)

| | |
|---|---|
| Énergie | 244 calories |
| Protéines | 20 g |
| Matières grasses | 7 g |
| Glucides | 25 g |
| Fibres alimentaires | 2,2 g |
| Sodium | 197 mg |
| Fer | 2,4 mg |
| Calcium | 184 mg |
| Oméga-3 | 0,3 g |

Raisins rouges

Tranches de concombre

Grissol

Muffins miniatures choco-bananes
*(recette p. 168)*

> *Bonne source de fer et de calcium.*
> *Source de fibres et d'oméga-3.*

# MUFFINS AU THON
# ET AU FROMAGE DE CHÈVRE

## Côté pratique

Vous arrive-t-il d'ouvrir une boîte de pâte de tomate, d'en prendre une cuillérée pour votre recette et de jeter le reste une semaine plus tard? Voici un petit truc: placez votre reste de pâte de tomate au centre d'une pellicule plastique carrée et enveloppez-la de façon à créer un boudin. Congelez-le. Lorsque vous aurez besoin de pâte de tomate pour une recette, vous pourrez couper une tranche de la grosseur désirée. Fini le gaspillage!

## Côté santé

Saviez-vous que les oméga-3 et les oméga-6 sont tous deux essentiels à une bonne santé? Toutefois, les oméga-6 sont déjà abondants dans notre alimentation. Ils proviennent des huiles végétales, des céréales et des noix, alors que les oméga-3 sont surtout présents dans les poissons. Hélas! nous ne mangeons pas assez d'oméga-3. Au Canada, la consommation de poisson est parmi des plus faibles du monde.

## Ingrédients

> 1 boîte de 170 g (6 oz) de thon pâle, égoutté
> 2 œufs
> 250 ml (1 tasse) de fromage cottage
> 80 ml (1/3 tasse) de lait
> 60 ml (1/4 tasse) de tomates séchées dans l'huile et hachées (environ 4 morceaux)
> 30 ml (2 c. à soupe) d'huile provenant des tomates séchées
> 30 ml (2 c. à soupe) de pâte de tomate
> 2 oignons verts hachés finement
> 15 ml (1 c. à soupe) d'herbes de Provence
> Sel et poivre
> 250 ml (1 tasse) de farine de blé entier
> 5 ml (1 c. à thé) de levure chimique (poudre à pâte)
> 100 g (3 1/2 oz) de fromage de chèvre, coupé en 6 tranches

## Préparation

1. Préchauffer le four à 180 °C (350 °F).
2. Dans un grand bol, mélanger tous les ingrédients sauf la farine, la levure chimique et le fromage de chèvre.
3. Dans un petit bol, mélanger la farine et la levure chimique, puis ajouter à la préparation de thon. Bien mélanger à la fourchette.
4. Répartir dans 6 moules à muffins antiadhésifs. Garnir chaque muffin d'une tranche de fromage de chèvre.
5. Cuire au four 40 minutes ou jusqu'à ce que les muffins soient dorés. Laisser refroidir 10 minutes à la température ambiante. Emballer individuellement et garder au froid jusqu'au repas.

## Valeur nutritive
(par portion)

| | |
|---|---|
| Énergie | 289 calories |
| Protéines | 23 g |
| Matières grasses | 14 g |
| Glucides | 20 g |
| Fibres alimentaires | 3,2 g |
| Sodium | 299 mg |
| Fer | 2,9 mg |
| Calcium | 258 mg |
| Oméga-3 | 0,1 g |

Jus d'orange

Petite salade verte
et vinaigrette

Cantaloup

Étagé moelleux aux poires
*(recette p. 252)*

*Bonne source de fer et de calcium.*
*Source de fibres.*

# SUCCULENTS PILONS DE POULET, DEUX FAÇONS

| PORTIONS: 4 | PRÉPARATION: 10 MIN | CUISSON: 90 MIN | ATTENTE: 5 MIN |

## Côté pratique

Pour manger sainement, ce n'est pas la peine de passer des heures devant les fourneaux! Ces pilons cuiront lentement pendant que vous vaquez à vos autres occupations dans la maison ou que vous relaxez simplement dans le salon. Ils se dégustent chauds ou froids, et sont bons à s'en lécher les doigts! Pour vos réceptions, préparez-les en remplacement des ailes de poulet, qui sont plus riches en gras et faibles en protéines.

## Côté santé

Saviez-vous que le jus de tomate ou de légumes peu contenir jusqu'à 900 mg de sodium par portion de 250 ml (1 tasse)? Or, l'apport maximal tolérable (AMT) par jour est d'environ 2 500 mg. Un seul verre comble donc plus du tiers de ce qu'une personne peut consommer en une journée... Choisissez les jus non salés ou ceux à teneur réduite en sodium, et assaisonnez-les de fines herbes pour leur donner du goût.

## Ingrédients

### Variation 1
#### Pilons à la gelée de pommes
> 8 pilons de poulet sans la peau
> 60 ml (1/4 tasse) de gelée de pommes
> 30 ml (2 c. à soupe) de moutarde de Dijon
> 15 ml (1 c. à soupe) d'herbes de Provence
> 5 ml (1 c. à thé) d'oignons déshydratés
> 125 ml (1/2 tasse) de jus de pomme

### Variation 2
#### Pilons barbecue
> 8 pilons de poulet sans la peau
> 80 ml (1/3 tasse) de sauce barbecue du commerce
> 15 ml (1 c. à soupe) d'herbes de Provence
> 5 ml (1 c. à thé) d'oignons déshydratés
> 5 ml (1 c. à thé) de paprika
> 125 ml (1/2 tasse) de jus de tomate ou de légumes, à teneur réduite en sodium

## Préparation

1. Préchauffer le four à 160 °C (325 °F).
2. Dans un sac de congélation hermétique, mélanger tous les ingrédients de la recette choisie, sauf le jus. Fermer le sac en retirant l'air et manipuler les pilons pour bien les enrober de marinade.
3. Dans un plat de cuisson, verser le jus et ajouter les pilons marinés avec la sauce. Couvrir d'un papier d'aluminium et cuire au four pendant 90 minutes.
4. Après 60 minutes de cuisson, retirer le papier d'aluminium. Tourner les pilons dans la sauce et terminer la cuisson.
5. À la sortie du four, laisser reposer quelques minutes, égoutter et répartir dans des plats hermétiques pour la boîte à lunch. Garder au froid jusqu'au repas.
6. Se mange froid, avec les doigts.

## Valeur nutritive
(par portion)

| | V1 | V2 |
|---|---|---|
| Énergie | 223 cal | 208 cal |
| Protéines | 32 g | 32 g |
| Matières grasses | 6 g | 6 g |
| Glucides | 9 g | 5 g |
| Fibres alimentaires | 0,4 g | 0,4 g |
| Sodium | 183 mg | 257 mg |
| Fer | 2,1 mg | 2,2 mg |
| Calcium | 31 mg | 27 mg |
| Oméga-3 | 0,1 g | 0,1 g |

Ananas en dés, frais ou surgelé

Salade de chou
*(recette p. 216)*

Ficelle de fromage

Tranches de pain
de blé entier

*Bonne source de fer.*
*Riche en protéines.*

# GALETTES DE SAUMON AU GOUDA

## Côté pratique

Lorsque vous faites cuire du riz ou des pâtes alimentaires, doublez les quantités et congelez les surplus. Ils conserveront une excellente texture et, une fois dégelés, ils garniront vos salades ou se transformeront en galettes comme par magie! Dans cette recette, vous pouvez remplacer le riz par l'orge, le saumon par du thon et le gouda par votre fromage préféré. Ajoutez d'autres légumes et vous obtiendrez une galette réinventée.

## Côté santé

Saviez-vous que 30 g (1 oz) de saumon suffisent à combler les besoins quotidiens en vitamine D des enfants et des adolescents? La vitamine D est essentielle pour la santé des os et des dents, puisqu'elle contribue à prévenir l'ostéoporose en améliorant l'absorption et la rétention du calcium par les os. Une portion de 100 g (3 1/2 oz) de saumon contient cinq fois plus de vitamine D qu'un verre de lait de 250 ml (8 oz).

## Ingrédients

> 125 ml (1/2 tasse) de riz à grains longs sec (ou 500 ml (2 tasses) de riz cuit)
> 300 ml (1 1/4 tasse) d'eau
> 1 boîte de 213 g (7,5 oz) de saumon émietté, égoutté, peau et arêtes enlevées (ou 250 ml (1 tasse) de saumon cuit)
> 2 œufs
> 250 ml (1 tasse) de gouda râpé
> 1/2 poivron rouge en dés
> 1 branche de céleri hachée
> 1/4 d'oignon rouge haché
> 2 oignons verts hachés
> 5 ml (1 c. à thé) d'herbes au citron
> Poivre

## Préparation

1. Préchauffer le four à 180 °C (350 °F).
2. Dans une casserole, combiner le riz et l'eau, et porter à ébullition. Réduire à feu moyen-doux, couvrir et cuire 15 minutes ou jusqu'à ce que l'eau soit absorbée et que le riz soit tendre.
3. Pendant ce temps, dans un bol, mélanger tous les autres ingrédients. Ajouter le riz et bien mélanger.
4. Répartir la préparation dans les moules à muffins antiadhésifs et bien appuyer avec les doigts pour que les ingrédients de la préparation collent ensemble.
5. Cuire au four 20 minutes ou jusqu'à ce que le dessus des galettes soit doré.
6. Laisser refroidir sur une plaque avant de démouler. Garder au froid jusqu'au repas.

## Valeur nutritive
(par portion)

| | |
|---|---|
| Énergie | 203 calories |
| Protéines | 15 g |
| Matières grasses | 9 g |
| Glucides | 15 g |
| Fibres alimentaires | 0,9 g |
| Sodium | 210 mg |
| Fer | 1,5 mg |
| Calcium | 228 mg |
| Oméga-3 | 0,7 g |

Must try this :)

Tartinade aux légumes
du marché *(recette p. 202)*

crudités variées

Pouding au chocolat
*(recette p. 240)*

> *Bonne source de calcium
> et d'oméga-3. Source de fer.*

# MUFFINS, GALETTES ET BARRES TENDRES

# BISCOTTI CHOCO-AMANDES

**PORTIONS: 25 BISCOTTI** | **PRÉPARATION: 15 MIN** | **CUISSON: 40 MIN** | **ATTENTE: 10 MIN**

## Côté pratique

Saviez-vous que le terme biscotti signifie «cuit deux fois» en italien? Ce biscuit sec et massif se déguste avec le café ou avec un bon verre de lait. Il est très important de laisser refroidir complètement les biscotti avant de les placer dans un contenant, sinon ils risquent de ramollir. Ils se conserveront environ trois semaines à la température ambiante et de deux à trois mois au congélateur.

## Côté santé

Bien que le potentiel anticancéreux du cacao n'ait pas encore été clairement établi, sa teneur élevée en antioxydants — les polyphénols — permet d'espérer des résultats positifs. Cependant, le chocolat ne deviendra pas un aliment santé pour autant. Il est riche en gras, en calories et parfois en sucre. Mieux vaut le consommer avec modération et choisir de préférence le cacao pur pour donner une note gourmande à vos desserts allégés préférés.

## Ingrédients

> 60 ml (1/4 tasse) de sucre
> 2 œufs
> 5 ml (1 c. à thé) de vanille
> 30 ml (2 c. à soupe) de zeste d'orange râpé (environ 1 orange)
> 125 ml (1/2 tasse) de jus d'orange (environ 1 orange)
> 250 ml (1 tasse) de farine de blé entier
> 60 ml (1/4 tasse) de cacao
> 15 ml (1 c. à soupe) de levure chimique (poudre à pâte)
> 5 ml (1 c. à thé) de cannelle
> 1 pincée de sel
> 125 ml (1/2 tasse) d'amandes * tranchées (facultatif)

## Préparation

1. Préchauffer le four à 180 °C (350 °F).
2. Dans un bol, mélanger à la fourchette le sucre, les œufs, la vanille, le zeste et le jus d'orange.
3. Dans un autre bol, mélanger la farine, le cacao, la levure chimique, la cannelle et le sel. Ajouter ensuite les amandes et mélanger.
4. Verser les ingrédients liquides dans le mélange sec et remuer à la fourchette pour bien humecter les ingrédients.
5. À l'aide d'une spatule, verser sur une plaque à biscuits doublée d'un papier-parchemin. Façonner la pâte de façon à former un rectangle plat.
6. Cuire au four 25 minutes. Sortir du four et laisser refroidir 10 minutes.
7. Couper le pain en tranches d'environ 1 cm (1/3 po) d'épaisseur. Replacer sur la plaque à biscuits et cuire de nouveau de 10 à 15 minutes, ou jusqu'à ce que les biscotti soient bien secs.

* Attention: les arachides et les noix sont interdites à l'école primaire.

## Valeur nutritive
(par portion de 2 biscottis)

| | |
|---|---|
| Énergie | 92 calories |
| Protéines | 4 g |
| Matières grasses | 3 g |
| Glucides | 14 g |
| Fibres alimentaires | 2,4 g |
| Sodium | 26 mg |
| Fer | 1,2 mg |
| Calcium | 76 mg |
| Oméga-3 | 0 g |

Jus d'orange

Farine de blé entier

Cacao

Amandes

*Faible en gras. Source de fibres, de fer et de calcium.*

# MUFFINS MINIATURES CHOCO-BANANES

**PORTIONS: 48 MINIATURES (OU 18 GROS MUFFINS)** · **PRÉPARATION: 15 MIN** · **CUISSON: 10 MIN**

## Côté pratique

Manger santé coûte cher? Détrompez-vous! Saviez-vous qu'un muffin maison moyen coûte à peine 0,25 $ alors qu'un muffin du commerce peut facilement atteindre de 1,00 $ à 1,50 $ l'unité? Sans mentionner que le muffin maison sera probablement plus faible en gras et plus riche en fibres que celui du commerce.

## Côté santé

Les mini-pépites de chocolat mi-sucré, c'est mon petit truc pour ajouter une note gourmande sans nuire à la valeur nutritive de la recette. Le chocolat mi-sucré contient moins de sucre que le chocolat au lait. De plus, les petits grains se répartissent mieux dans la recette. On peut alors en mettre moins sans perdre le bon goût chocolaté. Un muffin gourmand, mais pas trop décadent!

## Ingrédients

> 500 ml (2 tasses) de farine de blé entier
> 125 ml (1/2 tasse) de sucre
> 15 ml (1 c. à soupe) de levure chimique (poudre à pâte)
> 5 ml (1 c. à thé) de cannelle
> 2,5 ml (1/2 c. à thé) de muscade
> 4 bananes bien mûres, écrasées
> 60 ml (1/4 tasse) d'huile de canola
> 175 ml (3/4 tasse) de lait
> 125 ml (1/2 tasse) de yogourt nature
> 5 ml (1 c. à thé) de vanille
> 60 ml (1/4 tasse) de mini-pépites de chocolat mi-sucré

## Préparation

1. Préchauffer le four à 180 °C (350 °F).
2. Dans un grand bol, mélanger la farine, le sucre, la levure chimique, la cannelle et la muscade.
3. Dans un autre bol, à l'aide d'une fourchette, mélanger les bananes, l'huile, le lait, le yogourt et la vanille.
4. Verser les ingrédients liquides dans le bol contenant les ingrédients secs. Mélanger à la fourchette pour bien humidifier les ingrédients, mais sans plus. Éviter de trop mélanger.
5. Verser la préparation dans des moules à muffins miniatures antiadhésifs.
6. Garnir chaque muffin de quelques grains de chocolat.
7. Cuire au four sur la grille du centre pendant 10 minutes ou jusqu'à ce qu'un cure-dent inséré au centre d'un muffin en ressorte propre. Les muffins miniatures cuisent très rapidement. Calculer environ 20 minutes pour de gros muffins.
8. Laisser refroidir sur une grille avant de démouler.

## Valeur nutritive

(par portion de 2 muffins)

| | |
|---|---|
| Énergie | 108 calories |
| Protéines | 2 g |
| Matières grasses | 3 g |
| Glucides | 19 g |
| Fibres alimentaires | 2 g |
| Sodium | 9 mg |
| Fer | 0,6 mg |
| Calcium | 62 mg |
| Oméga-3 | 0,2 g |

PÂTÉ AU SAUMON À L'ANETH SUR UNE CROÛTE DE RIZ

SEULEMENT 10 g DE GRAS PAR PORTION

Farine de blé entier

Bananes

Lait

Yogourt

*Faible en gras et en sodium.*
*Source de fibres et de calcium.*

# PAIN À L'AVOINE ET AUX GRAINES DE LIN

**PORTIONS: 8**  **PRÉPARATION: 10 MIN**  **CUISSON: 45 MIN**

### Côté pratique

Diminuez la quantité de sucre demandée pour les muffins, pains aux fruits et gâteaux. Cependant, ne réduisez pas en deçà de 60 ml (1/4 tasse) de sucre par recette familiale. Un peu de sucre est nécessaire pour le succès de la recette. Pour éviter que votre préparation ne manque de goût, ajoutez différents assaisonnements: cannelle, muscade, vanille, gingembre, jus et zeste d'agrumes, cacao et fruits frais ou séchés. Votre recette sera «réduite en sucre» et «enrichie en goût»!

### Côté santé

En plus d'être riches en fibres, les graines de lin contiennent des oméga-3. Pour profiter de tous leurs bienfaits, achetez les graines de lin entières et concassez-les dans un moulin à café. Une fois moulues, réfrigérez ou congelez les surplus. Une femme devrait consommer 1,1 g d'oméga-3 par jour, et un homme, 1,6 g. Au Canada, la consommation moyenne se situe aux alentours de 0,3 g par jour.

### Ingrédients

- > 250 ml (1 tasse) de flocons d'avoine
- > 375 ml (1 1/2 tasse) d'eau bouillante
- > 60 ml (1/4 tasse) de margarine non hydrogénée
- > 60 ml (1/4 tasse) de cassonade
- > 2 œufs
- > 10 ml (2 c. à thé) de vanille
- > 4 bananes mûres écrasées
- > 375 ml (1 1/2 tasse) de farine de blé entier
- > 125 ml (1/2 tasse) de lait en poudre
- > 60 ml (1/4 tasse) de graines de lin moulues
- > 10 ml (2 c. à thé) de levure chimique (poudre à pâte)
- > 5 ml (1 c. à thé) de bicarbonate de soude
- > 5 ml (1 c. à thé) de cannelle

### Garniture

- > 30 ml (2 c. à soupe) de flocons d'avoine
- > 30 ml (2 c. à soupe) de graines de lin entières

### Préparation

1. Dans un bol, mélanger la première quantité de flocons d'avoine et l'eau bouillante. Laisser reposer 20 minutes.
2. Préchauffer le four à 180 °C (350 °F).
3. Pendant ce temps, dans un grand bol, réduire en crème la margarine et la cassonade à l'aide d'un batteur électrique. Ajouter les œufs, la vanille et les bananes, et mélanger de nouveau.
4. Dans un autre bol, mélanger tous les ingrédients secs, sauf la garniture.
5. Ajouter les flocons d'avoine gonflés et les ingrédients secs à la préparation d'ingrédients humides. Mélanger pour humecter.
6. Graisser et enfariner un moule à soufflé ou un moule rond à parois hautes d'au moins 10 cm (4 po). Y verser la pâte.
7. Saupoudrer la garniture sur la pâte, et cuire au four de 40 à 45 minutes ou jusqu'à ce qu'un cure-dent inséré au centre du pain ressorte propre, quoique humide.

### Valeur nutritive
(par portion)

| | |
|---|---|
| Énergie | 307 calories |
| Protéines | 11 g |
| Matières grasses | 10 g |
| Glucides | 47 g |
| Fibres alimentaires | 6,5 g |
| Sodium | 220 mg |
| Fer | 2,2 mg |
| Calcium | 135 mg |
| Oméga-3 | 0,9 g |

Flocons d'avoine

Banane

Lait en poudre

Graines de lin moulues

*Excellente source de fibres et d'oméga-3. Bonne source de fer.*

# BARRES GRANOLA MAISON

**PORTIONS: 12** | **PRÉPARATION: 5 MIN** | **CUISSON: 15 MIN**

## Côté pratique

J'aime bien ajouter des graines de soya grillées à ces barres granola. Y avez-vous déjà goûté? Le goût et la taille de cette petite graine ressemblent à ceux de l'arachide. En plus de posséder toutes les qualités nutritives du soya, il est bon de savoir qu'elle contient moins de gras, et plus de fibres et de protéines que l'arachide. Vous pouvez ajouter des graines de soya grillées dans vos céréales à déjeuner, vos muffins, vos salades ou, bien sûr, les manger telles quelles en guise de collation.

## Côté santé

Ces barres n'ont que le nom en commun avec les barres granola du commerce. Elles sont beaucoup moins sucrées et beaucoup plus nourrissantes! Ajoutez-y des raisins secs, des abricots séchées, des noix ou des graines pour varier les saveurs. Vous pouvez également ajouter 60 ml (1/4 tasse) de germe de blé pour augmenter leur teneur en fibres et en protéines. Les barres peuvent être congelées, bien emballées, en portions individuelles.

## Ingrédients

> 250 ml (1 tasse) de céréales de type muesli * au choix (ou autre céréale sans noix)
> 250 ml (1 tasse) de flocons d'avoine
> 125 ml (1/2 tasse) de céréales de riz soufflé
> 30 ml (2 c. à soupe) de graines de lin moulues
> 10 ml (2 c. à thé) de cannelle
> 2 œufs
> 60 ml (1/4 tasse) d'huile de canola
> 60 ml (1/4 tasse) de sirop d'érable (ou de miel)

## Préparation

1. Préchauffer le four à 180 °C (350 °F).
2. Dans un grand bol, mélanger les 3 céréales, le lin et la cannelle.
3. Dans un petit bol, mélanger à la fourchette les œufs, l'huile et le sirop d'érable. Ajouter aux céréales et mélanger.
4. Déposer le mélange dans un moule antiadhésif carré d'environ 23 cm (9 po). Tasser fermement le mélange dans le moule avec une spatule.
5. Cuire au four environ 15 minutes ou jusqu'à ce que la préparation soit dorée.
6. Laisser refroidir complètement dans le moule et couper ensuite en 12 barres.

**\* Attention: certaines céréales de type muesli contiennent des arachides ou des noix, des aliments qui sont interdits à l'école primaire.**

## Valeur nutritive
(par portion)

| | |
|---|---|
| Énergie | 133 calories |
| Protéines | 3 g |
| Matières grasses | 7 g |
| Glucides | 16 g |
| Fibres alimentaires | 2,7 g |
| Sodium | 45 mg |
| Fer | 1,4 mg |
| Calcium | 24 mg |
| Oméga-3 | 0,7 g |

Céréales müesli

Flocons d'avoine

Céréales de riz soufflé

Graines de lin moulues

*Bonne source d'oméga-3.
Source de fibres et de fer.*

# BARRES FONDANTES AUX ABRICOTS

**PORTIONS: 24**  **PRÉPARATION: 15 MIN**  **CUISSON: 50 MIN**

## Côté pratique

Lorsque vous choisissez de mettre du miel dans une recette qui proposait un autre sucre, mieux vaut abaisser le four de 15 °C (25 °F). Le miel brunit plus rapidement que le sucre. Réduisez aussi la quantité de 20 %, puisque le miel a un goût sucré plus intense que celui du sucre. Par exemple, on remplace 250 ml de sucre par 200 ml de miel. Pour mesurer facilement la quantité de miel prévue dans une recette, huilez une tasse à mesurer. Le miel glissera sans coller aux parois de la tasse.

## Côté santé

Le miel, le sirop d'érable et la casso-nade ont une valeur nutritive très limitée, comparable à celle du sucre blanc. Ils ne contiennent ni protéines, ni matières grasses, ni fibres. Ce sont surtout des glucides, avec une infime quantité de vitamines et de miné-raux. Le miel possède un goût sucré plus intense, on peut donc en mettre moins. Quand au sirop d'érable il possède des antioxydants, ce qui constitue un petit avantage.

## Ingrédients

> 500 ml (2 tasses) d'abricots secs hachés (ou autre fruit secs, au choix)
> 500 ml (2 tasses) d'eau
> 5 ml (1 c. à thé) de vanille
> 500 ml (2 tasses) de flocons d'avoine
> 250 ml (1 tasse) de farine de blé entier
> 250 ml (1 tasse) d'amandes * tranchées (facultatif)
> 125 ml (1/2 tasse) de germe de blé
> 5 ml (1 c. à thé) de levure chimique (poudre à pâte)
> 5 ml (1 c. à thé) de cannelle
> 125 ml (1/2 tasse) de margarine non hydrogénée fondue
> 125 ml (1/2 tasse) de miel
> 1 œuf

## Préparation

1. Préchauffer le four à 180 °C (350 °F).
2. Dans une casserole, cuire à feu moyen les abricots, l'eau et la vanille jusqu'à ce qu'il n'y ait presque plus de liquide, soit environ 15 minutes. Retirer du feu et réserver.
3. Dans un bol, mélanger l'avoine, la farine, les amandes, le germe de blé, la levure chimique et la cannelle.
4. Ajouter la margarine, le miel et l'œuf, et mélanger jusqu'à ce que la préparation soit grumeleuse et qu'on ne distingue plus la farine au fond du bol.
5. Répartir la moitié de cette préparation dans un moule antiadhésif carré allant au four d'environ 20 cm (8 po) de côté. Tasser fermement la préparation au fond du moule puis ajouter les abricots. Ajouter ensuite le reste de la préparation à l'avoine et appuyer fermement.
6. Cuire au four 35 minutes ou jusqu'à ce que les barres soient dorées.
7. Laisser refroidir avant de tailler en barres.

*** Attention: les arachides et les noix sont interdites à l'école primaire.**

## Valeur nutritive
(par portion)

| | |
|---|---|
| Énergie | 152 calories |
| Protéines | 4 g |
| Matières grasses | 7 g |
| Glucides | 21 g |
| Fibres alimentaires | 2,7 g |
| Sodium | 5 mg |
| Fer | 1,1 mg |
| Calcium | 32 mg |
| Oméga-3 | 0 g |

Abricots secs

Flocons d'avoine

Amandes

Germe de blé

> Source de fibres et de fer.
> Faible en sodium.

# BISCUITS ÉNERGIE

**PORTIONS: 18** | **PRÉPARATION: 15 MIN** | **CUISSON: 10 MIN**

## Côté pratique

Ces petites douceurs peuvent être congelées. Glissez quelques-uns de ces biscuits dans votre sac à main ou votre porte-documents. Ils vous dépanneront quand la faim se fera sentir. C'est rassurant d'avoir ses propres galettes en tout temps, surtout lorsqu'on sait que les galettes à l'avoine vendues dans les cafétérias et les cafés contiennent environ trois fois plus de gras que ces biscuits énergie.

## Côté santé

Saviez-vous qu'une seule banane ajoutée à la préparation de n'importe quel dessert rendra votre recette plus tendre et moelleuse sans modifier son goût? Fini le gaspillage des bananes! Si vos bananes sont trop mûres pour être mangées, placez-les dans un sac de plastique après les avoir pelées et congelez-les. Leur chair demeurera douce et sucrée. Une fois décongelée, vous pourrez ajouter cette purée à vos galettes et muffins maison.

## Ingrédients

> 250 ml (1 tasse) de céréales de type muesli *, au choix (ou autre céréale sans noix)
> 250 ml (1 tasse) de flocons d'avoine
> 125 ml (1/2 tasse) de farine de blé entier
> 7 ml (1 1/2 c. à thé) de levure chimique (poudre à pâte)
> 5 ml (1 c. à thé) de cannelle
> 1 ml (1/4 c. à thé) de sel
> 45 ml (3 c. à soupe) de margarine non hydrogénée ramollie
> 1 banane écrasée
> 1 œuf
> 30 ml (2 c. à soupe) de lait
> 10 ml (2 c. à thé) de vanille
> 45 ml (3 c. à soupe) de miel

## Préparation

1. Préchauffer le four à 180 °C (350 °F).
2. Dans un grand bol, mélanger les céréales, les flocons d'avoine, la farine, la levure chimique, la cannelle et le sel.
3. Dans un bol moyen, battre à la fourchette la margarine, la banane, l'œuf, le lait, la vanille et le miel. Incorporer aux ingrédients secs. Bien mélanger.
4. Distribuer la pâte sur une plaque à biscuits antiadhésive.
5. Cuire au four environ 10 minutes. Éviter de trop cuire les biscuits, qui deviendraient alors secs et durs. Laisser refroidir.

* Attention: certaines céréales de type muesli contiennent des arachides ou des noix, des aliments qui sont interdits à l'école primaire.

## Valeur nutritive
(par portion de 1 biscuit)

| | |
|---|---|
| Énergie | 85 calories |
| Protéines | 2 g |
| Matières grasses | 3 g |
| Glucides | 14 g |
| Fibres alimentaires | 1,4 g |
| Sodium | 34 mg |
| Fer | 0,9 mg |
| Calcium | 26 mg |
| Oméga-3 | 0 g |

Céréales müesli

Flocons d'avoine

Banane

Farine de blé entier

*Faible en gras et en sodium. Source de fer.*

# MUFFINS ROSE BONBON

## Côté pratique

Le gingembre frais ajoute une saveur beaucoup plus parfumée que le gingembre en poudre. Pour en avoir du frais sous la main en tout temps, achetez une racine de gingembre, pelez-la et coupez-la en morceaux d'environ 2,5 cm (1 po) de long. Déposez-les dans un sac en plastique et placez celui-ci au congélateur. Lorsque vous en aurez besoin, vous n'aurez qu'à faire dégeler un morceau, et qu'à le couper ou le râper selon les besoins de votre recette.

## Côté santé

Ajouter du yogourt aux muffins, c'est mon petit truc pour qu'ils soient plus moelleux, mais pas trop gras. Variez la saveur de yogourt et assortissez-la à votre fruit préféré. Vous obtiendrez un muffin absolument délicieux. Saviez-vous que les personnes intolérantes au lactose tolèrent habituellement bien le yogourt? En effet, le processus de fermentation de ce produit laitier diminue sa teneur en lactose et facilite sa digestion.

## Ingrédients

> 500 ml (2 tasses) de framboises surgelées, décongelées
> 1 œuf
> 250 ml (1 tasse) de yogourt aux framboises
> 60 ml (1/4 tasse) d'huile de canola
> 60 ml (1/4 tasse) de gingembre frais, râpé ou haché très finement
> 60 ml (1/4 tasse) de sucre
> 500 ml (2 tasses) de farine de blé entier
> 10 ml (2 c. à thé) de levure chimique (poudre à pâte)
> 10 ml (2 c. à thé) de cannelle
> 1 ml (1/4 c. à thé) de sel

## Préparation

1. Préchauffer le four à 180 °C (350 °F).
2. Dans un grand bol, écraser les framboises avec une fourchette, afin de les réduire en purée. Ajouter l'œuf, le yogourt, l'huile, le gingembre et le sucre, puis mélanger.
3. Dans un autre bol, mélanger la farine, la levure chimique, la cannelle et le sel. Ajouter aux ingrédients liquides et mélanger à la fourchette. Ne pas trop mélanger.
4. Répartir la préparation dans des moules à muffins miniatures antiadhésifs.
5. Cuire au four 20 minutes, ou jusqu'à ce qu'un cure-dent inséré au centre d'un muffin en ressorte propre.

## Valeur nutritive

(par portion de 2 muffins)

| | |
|---|---|
| Énergie | 166 calories |
| Protéines | 4 g |
| Matières grasses | 6 g |
| Glucides | 26 g |
| Fibres alimentaires | 4 g |
| Sodium | 97 mg |
| Fer | 1,2 mg |
| Calcium | 86 mg |
| Oméga-3 | 0,5 g |

Framboises

Yogourt nature

Gingembre

Farine de blé entier

*Bonne source de fibres. Source de fer, de calcium et d'oméga-3.*

# MUFFINS SON ET BLEUETS

**PORTIONS: 12** | **PRÉPARATION: 15 MIN** | **CUISSON: 30 MIN**

## Côté pratique

Voici un petit truc pour prolonger la conservation de vos muffins et galettes maison. Placez-les sous une cloche à gâteau ou dans un contenant hermétique en prenant soin d'y ajouter une pomme coupée. Vos collations resteront tendres et moelleuses pendant plusieurs jours... si vos petits gourmands ne les mangent pas avant!

## Côté santé

Saviez-vous que les muffins que vous préparez vous-même sont bien différents de ceux que vous achetez dans le commerce? Ceux-ci contiennent de deux à trois fois plus de gras et de sucre que les muffins maison, et sont souvent faits avec du shortening végétal, une source de gras trans néfastes pour la santé. Une bonne raison de cuisiner vos muffins et collations!

## Ingrédients

> 750 ml (3 tasses) de yogourt aux bleuets (1 pot de 750 g)
> 15 ml (1 c. à soupe) de bicarbonate de soude
> 125 ml (1/2 tasse) de sirop d'érable ou de maïs
> 60 ml (1/4 tasse) d'huile de canola
> 10 ml (2 c. à thé) de vanille
> 1 œuf
> 500 ml (2 tasses) de son de blé
> 500 ml (2 tasses) de farine de blé entier
> 15 ml (1 c. à soupe) de levure chimique (poudre à pâte)
> 1 ml (1/4 c. à thé) de sel
> 500 ml (2 tasses) de bleuets surgelés

## Préparation

1. Préchauffer le four à 160 °C (325 °F).
2. Dans un grand bol, mélanger le yogourt et le bicarbonate de soude. Laisser reposer 5 minutes. Le yogourt doublera de volume.
3. Pendant ce temps, fouetter le sirop, l'huile, la vanille et l'œuf à la fourchette. Ajouter le son et mélanger jusqu'à l'obtention d'une préparation grumeleuse.
4. Dans un autre bol, mélanger la farine, la levure chimique et le sel.
5. Ajouter le yogourt et les ingrédients secs au mélange à base de son. Mélanger délicatement à la fourchette.
6. Ajouter les bleuets et mélanger juste assez pour les répartir dans la pâte.
7. Garnir généreusement des moules à muffins antiadhésifs, et cuire 30 minutes ou jusqu'à ce que les muffins soient dorés. Refroidir avant de démouler.

## Valeur nutritive
(par portion)

| | |
|---|---|
| Énergie | 251 calories |
| Protéines | 8 g |
| Matières grasses | 7 g |
| Glucides | 46 g |
| Fibres alimentaires | 7,3 g |
| Sodium | 386 mg |
| Fer | 2,2 mg |
| Calcium | 176 mg |
| Oméga-3 | 0,5 g |

Yogourt aux bleuets

Son de blé

Farine de blé entier

Bleuets

*Excellente source de fibres.*
*Bonne source de fer et de calcium.*

# DOIGTS DE FÉE
# AUX CANNEBERGES

**PORTIONS: 25** **PRÉPARATION: 10 MIN** **CUISSON: 10 MIN**

## Côté pratique

Idéales pour la boîte à lunch, ces barres peuvent même se transformer en déjeuner santé pour les matins pressés. Trempées dans un yogourt aux fruits, elles sont délicieuses. À la collation, dégustez-les seules ou plongez-les dans un verre de lait. Les barres se congèlent, emballées en portions individuelles. Vous pouvez aussi remplacer les canneberges par d'autres fruits séchés.

## Côté santé

Abracadabra! Ces doigts de fée ont quelque chose de magique. Tendres et savoureux, ils regorgent de fibres alimentaires et contiennent de quatre à cinq fois moins de gras que les galettes à l'avoine du commerce. Choisissez le gruau ordinaire composé de flocons entiers plutôt que le gruau minute ou le gruau instantané. La teneur en fibres est sensiblement la même de l'un à l'autre, mais le gruau de grains entiers soutiendra l'appétit plus longtemps.

## Ingrédients

> 2 bananes mûres
> 1 œuf
> 60 ml (1/4 tasse) de margarine non hydrogénée ramollie
> 125 ml (1/2 tasse) de cassonade
> 125 ml (1/2 tasse) de lait
> 10 ml (2 c. à thé) de vanille
> 250 ml (1 tasse) de farine de blé entier
> 750 ml (3 tasses) de flocons d'avoine
> 10 ml (2 c. à thé) de cannelle
> 5 ml (1 c. à thé) de bicarbonate de soude
> 250 ml (1 tasse) de canneberges sèches

## Préparation

1. Préchauffer le four à 180 °C (350 °F).
2. Dans un grand bol, piler les bananes avec une fourchette.
3. Ajouter l'œuf, la margarine, la cassonade, le lait et la vanille, puis bien mélanger.
4. Dans un autre bol, mélanger la farine, les flocons d'avoine, la cannelle et le bicarbonate de soude. Ajouter aux ingrédients liquides et mélanger à la fourchette.
5. Ajouter les canneberges et mélanger pour bien les répartir dans la préparation.
6. Déposer la préparation par portion d'environ 30 ml (2 c. à soupe) sur une plaque à biscuits doublée de papier-parchemin. Avec les doigts, façonner chaque portion en bâtonnet d'environ 5 cm (2 po) de longueur.
7. Cuire au four de 8 à 10 minutes.

## Valeur nutritive
(par portion de 1 biscuit)

| | |
|---|---|
| Énergie | 115 calories |
| Protéines | 3 g |
| Matières grasses | 3 g |
| Glucides | 20 g |
| Fibres alimentaires | 2,2 g |
| Sodium | 60 mg |
| Fer | 0,8 mg |
| Calcium | 20 mg |
| Oméga-3 | 0 g |

Banane

Farine de blé entier

Flocons d'avoine

Canneberges sèches

*Faible en gras et en sodium.*
*Source de fibres et de fer.*

# PAIN AUX POIRES ET AUX ÉPICES

**PORTIONS: 8** | **PRÉPARATION: 15 MIN** | **CUISSON: 45 MIN** | **ATTENTE: 30 MIN**

## Côté pratique

Une trouvaille coup de cœur: les moules en silicone. Vous adorerez cuisiner des pains aux fruits, gâteaux et muffins avec ces moules. Le démoulage est une affaire de rien, et le lavage encore plus facile. Fini le graissage des moules! Rien ne colle, même après plusieurs utilisations. Le seul bémol: ils sont parfois mous, donc difficiles à manier une fois remplis de pâte. À l'achat, choisissez des moules qui résistent à 260 °C (500 °F), ils seront plus durables et sécuritaires.

## Côté santé

Pour rehausser la teneur en fer de vos recettes de pains et de muffins, ajoutez-leur de la mélasse verte ou *blackstrap*. Cette mélasse est un sous-produit de la mélasse de fantaisie. Son goût est plus amer, mais dans cette recette, il passe incognito. Une cuillérée à soupe (15 ml) de mélasse verte contient autant de fer qu'une portion de 90 g (3 oz) de viande rouge!

## Ingrédients

> 250 ml (1 tasse) de farine de blé entier
> 60 ml (1/4 tasse) de graines de lin moulues
> 15 ml (1 c. à soupe) de levure chimique (poudre à pâte)
> 5 ml (1 c. à thé) de cannelle
> 5 ml (1 c. à thé) de gingembre moulu
> 2,5 ml (1/2 c. à thé) de muscade
> 1 ml (1/4 c. à thé) de clou de girofle moulu
> 1 ml (1/4 c. à thé) de piment de la Jamaïque
> 2 œufs
> 60 ml (1/4 tasse) de cassonade
> 60 ml (1/4 tasse) d'huile
> 125 ml (1/2 tasse) de lait
> 125 ml (1/2 tasse) de lait en poudre
> 1 boîte de 540 ml (19 oz) de poires, égouttées et coupées en cubes

## Préparation

1. Préchauffer le four à 180 °C (350 °F).
2. Dans un grand bol, mélanger la farine, les graines de lin, la levure chimique et les épices.
3. Dans un autre bol, mélanger les œufs et la cassonade à l'aide d'un fouet. Ajouter l'huile, le lait, le lait en poudre et mélanger. Ajouter les poires et mélanger de nouveau.
4. Ajouter le mélange sec aux ingrédients liquides et mélanger à la fourchette pour bien humecter tous les ingrédients.
5. Transvider dans un moule à pain antiadhésif et cuire au four 30 minutes ou jusqu'à ce qu'un cure-dent inséré au centre du pain en ressorte propre. Laisser refroidir puis couper en 8 tranches.

## Valeur nutritive
(par portion)

| | |
|---|---|
| Énergie | 209 calories |
| Protéines | 6 g |
| Matières grasses | 10 g |
| Glucides | 26 g |
| Fibres alimentaires | 4,1 g |
| Sodium | 55 mg |
| Fer | 1,6 mg |
| Calcium | 184 mg |
| Oméga-3 | 0,9 g |

Farine de blé entier

Graines de lin moulues

Lait en poudre

Poire

*Bonne source de fibres, de calcium et d'oméga-3. Source de fer.*

# PAIN PERDU CHOCO-CANNEBERGES

**PORTIONS: 8** | **PRÉPARATION: 15 MIN** | **CUISSON: 45 MIN**

## Côté pratique

Ce pouding au pain vous permettra de «recycler» tous vos restes de pain raidis par le temps. N'hésitez pas à préparer cette recette avec du pain croûté, du pain multigrain, du pain aux noix, aux raisins ou aux graines de lin. Tous les pains conviennent. Voici un classique économique, remis au goût du jour et préparé en portions individuelles parfaites pour la boîte à lunch.

## Côté santé

La noix de Grenoble figure parmi les meilleures sources végétales d'oméga-3, un acide gras essentiel dont les bienfaits sur la santé du cœur sont reconnus. On arrive à combler ses besoins en oméga-3 pour une journée en consommant 30 ml (2 c. à soupe) de noix de Grenoble. Selon un nombre grandissant d'études, les oméga-3 joueraient également un rôle dans la prévention du cancer du sein, de la prostate et du côlon.

## Ingrédients

> 2 œufs
> 250 ml (1 tasse) de lait
> 60 ml (1/4 tasse) de sirop d'érable
> 10 ml (2 c. à thé) de vanille
> 500 ml (2 tasses) de pain croûté multigrain, sec et coupé en gros cubes
> 60 ml (1/4 tasse) de noix de Grenoble * hachées (facultatif)
> 60 ml (1/4 tasse) de canneberges sèches
> 60 ml (1/4 tasse) de mini-pépites de chocolat mi-sucré

## Préparation

1. Préchauffer le four à 180 °C (350 °F).
2. Dans un bol, fouetter les œufs. Ajouter le lait, le sirop et la vanille, puis bien mélanger. Ajouter les cubes de pain et laisser imbiber 1 minute.
3. Répartir la moitié de la préparation au pain dans 8 moules à muffins antiadhésifs moyens.
4. Dans un bol, mélanger les noix, les canneberges et le chocolat. Répartir cette garniture dans les moules à muffins et terminer en ajoutant l'autre moitié de la préparation au pain.
5. Cuire au four 45 minutes ou jusqu'à ce que la préparation soit dorée. Garder au froid jusqu'au repas.

\* Attention: les arachides et les noix sont interdites à l'école primaire.

## Valeur nutritive
(par portion)

| | |
|---|---|
| Énergie | 260 calories |
| Protéines | 8 g |
| Matières grasses | 9 g |
| Glucides | 36 g |
| Fibres alimentaires | 2,4 g |
| Sodium | 230 mg |
| Fer | 2,1 mg |
| Calcium | 109 mg |
| Oméga-3 | 0,7 g |

Lait

Pain crouté multigrains

Noix de Grenoble

Canneberges sèches

 *Bonne source de fer et d'oméga-3. Source de fibres et de calcium.*

# PIÈCES DE MONNAIE AUX FIGUES

**PORTIONS: 40** | **PRÉPARATION: 15 MIN** | **CUISSON: 10 MIN** | **ATTENTE: 1 H (FACULTATIF)**

## Côté pratique

Recherchez les tartinades de fruits sans sucre ajouté. On ne peut pas les nommer «confitures» parce que ce terme est réglementé et exige que la recette contienne du sucre. Toutefois, les tartinades de fruits s'utilisent comme la confiture. De plus en plus de fabricants proposent des tartinades santé. J'adore particulièrement celle aux figues, mais aussi celles à la mangue, à la poire ou à l'abricot. Pour un dessert vite fait, j'ajoute simplement de la tartinade dans un bol de yogourt nature.

## Côté santé

Riches en fibres, les produits de grains entiers contribuent à la perte et au maintien du poids. Les fibres nécessitent une plus longue mastication et une plus longue digestion. Vous vous sentez ainsi rassasié plus rapidement et vous mangez moins! Le son d'avoine est également une source importante de fibres alimentaires solubles. Ce type de fibres contribue à abaisser le taux de cholestérol dans le sang, spécialement lorsque celui-ci est élevé.

## Ingrédients

> 250 ml (1 tasse) de son d'avoine
> 125 ml (1/2 tasse) de farine de blé entier
> 10 ml (2 c. à thé) de levure chimique (poudre à pâte)
> 5 ml (1 c. à thé) de cannelle
> 1 œuf
> 60 ml (1/4 tasse) d'huile d'olive
> 60 ml (1/4 tasse) de miel
> 5 ml (1 c. à thé) de vanille
> 60 ml (1/4 tasse) de tartinade de figues sans sucre ajouté (de type confiture)

## Préparation

1. Dans un grand bol, mélanger le son d'avoine, la farine, la levure chimique et la cannelle.
2. Dans un autre bol, mélanger à la fourchette l'œuf, l'huile, le miel, la vanille et la tartinade de figues. Ajouter aux ingrédients secs et bien mélanger à l'aide de la fourchette.
3. Diviser la pâte en 2 et placer chaque moitié sur un carré de pellicule plastique. Enrober pour former un boudin de la taille d'une pièce de 25 ¢. Fermer les extrémités et congeler pendant 1 heure. Cette étape est facultative, elle permet seulement de solidifier la pâte pour obtenir des biscuits bien ronds. On peut cuire la pâte directement après l'étape 2.
4. Préchauffer le four à 180 °C (350 °F).
5. Sortir les boudins de pâte du congélateur. Retirer la pellicule plastique et couper le boudin en tranches d'environ 1 cm (1/3 po) d'épaisseur. Placer sur une plaque à biscuits doublée d'un papier-parchemin et cuire au four 10 minutes.

## Valeur nutritive

(par portion de 4 biscuits)

| | |
|---|---|
| Énergie | 130 calories |
| Protéines | 3 g |
| Matières grasses | 7 g |
| Glucides | 19 g |
| Fibres alimentaires | 2,5 g |
| Sodium | 9 mg |
| Fer | 1,1 mg |
| Calcium | 59 mg |
| Oméga-3 | 0,1 g |

Son d'avoine

Farine de blé entier

Huile d'olive

Tartinade de figues sans sucre ajouté

*Source de fibres, de fer et de calcium. Faible en sodium.*

# MINI-BROWNIES MAISON

**PORTIONS: 18** | **PRÉPARATION: 15 MIN** | **CUISSON: 10 MIN**

## Côté pratique

Les brownies ne sembleront pas suffisamment cuits. Cependant, la cuisson se poursuivra quelques minutes après la sortie du four. Vous obtiendrez ainsi un dessert plus moelleux. Ces mini-brownies contiennent deux fois moins de gras et trois fois plus de fibres que ceux du commerce. Un petit plaisir à savourer sans culpabilité!

## Côté santé

Saviez-vous que plus de 50 % des hommes et plus de 60 % des femmes ne consomment pas la quantité minimum requise de produits laitiers recommandée par *Le guide alimentaire canadien*, soit deux portions par jour? Pour augmenter votre apport en calcium, dissimulez du lait en poudre dans vos recettes de desserts, de muffins et de biscuits. L'ajout passera inaperçu. C'est parfait pour ceux qui ne raffolent pas des produits laitiers.

## Ingrédients

> 4 blancs d'œufs
> 125 ml (1/2 tasse) de lait
> 60 ml (1/4 tasse) d'huile de canola
> 5 ml (1 c. à thé) de vanille
> 300 ml (1 1/4 tasse) de farine de blé entier
> 45 ml (3 c. à soupe) de graines de lin moulues
> 10 ml (2 c. à thé) de levure chimique (poudre à pâte)
> 125 ml (1/2 tasse) de lait en poudre
> 125 ml (1/2 tasse) de cacao
> 125 ml (1/2 tasse) de sucre

## Préparation

1. Préchauffer le four à 180 °C (350 °F).
2. Au batteur électrique ou à la mixette, battre les blancs d'œufs jusqu'à ce qu'ils soient mousseux. Ajouter le lait, l'huile et la vanille.
3. Dans un autre bol, mélanger la farine, les graines de lin, la levure chimique, le lait en poudre, le cacao et le sucre.
4. Verser les ingrédients humides dans les ingrédients secs et mélanger à la fourchette.
5. Répartir la pâte dans des moules à muffins miniatures antiadhésifs.
6. Cuire au four sur la grille du haut environ 10 minutes.
7. Laisser refroidir avant de démouler.

## Valeur nutritive
(par portion de 1 brownie)

| | |
|---|---|
| Énergie | 86 calories |
| Protéines | 3 g |
| Matières grasses | 3 g |
| Glucides | 17 g |
| Fibres alimentaires | 2,1 g |
| Sodium | 27 mg |
| Fer | 0,8 mg |
| Calcium | 65 mg |
| Oméga-3 | 0,6 g |

Farine de blé entier

Graines de lin moulues

Lait en poudre

Cacao

*Faible en gras. Source de fibres, de fer, de calcium et d'oméga-3.*

# MUFFINS CROUSTILLANTS AUX POMMES

**PORTIONS: 12** **PRÉPARATION: 15 MIN** **CUISSON: 30 MIN**

## Côté pratique

Au bureau, les réunions s'accompagnent inévitablement d'une boîte de beignes ou d'un plateau de pâtisseries? Demandez à votre patron ou à la personne qui s'occupe de la pause-café de commander des collations santé. Yogourts, trempettes, crudités, fruits frais, fromage, craquelins santé... Les possibilités sont nombreuses. Si vous êtes la personne qui prend ces décisions, ce livre saura vous inspirer! Pourquoi ne pas en offrir un exemplaire au service traiteur qui dessert votre entreprise?

## Côté santé

Saviez-vous qu'on peut réduire de moitié la quantité de gras requise dans la plupart des gâteaux, biscuits et pains aux fruits, et la remplacer par une compote de pommes ou de fruits mélangés (poire, pêche, mangue, framboises)? Ce petit truc ajoutera des éléments nutritifs, des fibres et beaucoup de goût à vos recettes!

## Ingrédients

> 1 œuf
> 250 ml (1 tasse) de lait
> 60 ml (1/4 tasse) de margarine non hydrogénée
> 60 ml (1/4 tasse) de cassonade
> 125 ml (1/2 tasse) de compote de pommes
> 375 ml (1 1/2 tasse) de chapelure de biscuits Graham
> 375 ml (1 1/2 tasse) de farine de blé entier
> 60 ml (1/4 tasse) de graines de lin moulues
> 15 ml (1 c. à soupe) de levure chimique (poudre à pâte)
> 5 ml (1 c. à thé) de cannelle
> 1 ml (1/4 c. à thé) de sel
> 2 pommes moyennes, pelées et coupées en dés
> 125 ml (1/2 tasse) de chapelure de biscuits Graham

## Préparation

1. Préchauffer le four à 180 °C (350 °F).
2. Dans un grand bol, battre à la fourchette l'œuf, et ajouter le lait, la margarine, la cassonade et la compote de pommes.
3. Dans un autre bol, mélanger la première quantité de chapelure Graham, la farine, les graines de lin, la levure chimique, la cannelle et le sel. Ajouter aux ingrédients liquides et mélanger à la fourchette pour bien humecter les ingrédients. Éviter de trop mélanger.
4. Ajouter les pommes et mélanger légèrement.
5. Verser la préparation dans des moules à muffins antiadhésifs. Saupoudrer la chapelure Graham restante sur les muffins et appuyer légèrement avec les doigts pour que celle-ci adhère bien à la pâte. Cuire au four 30 minutes ou jusqu'à ce qu'un cure-dent inséré au centre d'un muffin en ressorte propre.

## Valeur nutritive
(par portion)

| | |
|---|---|
| Énergie | 198 calories |
| Protéines | 5 g |
| Matières grasses | 7 g |
| Glucides | 31 g |
| Fibres alimentaires | 3,4 g |
| Sodium | 129 mg |
| Fer | 1,6 mg |
| Calcium | 102 mg |
| Oméga-3 | 0,6 g |

Lait

Farine de blé entier

Graine de lin moulue

Pomme

*Source de fibres, de fer, de calcium et d'oméga-3.*

# ROCHERS AUX AMANDES

## Côté pratique

Chut! Gardez le secret et personne ne saura que ces bouchées gourmandes sont bonnes pour la santé. Parfois, le simple fait de dire que c'est «santé» suffit pour faire ressortir tous les préjugés... On croit alors que la recette sera fade ou ennuyante. J'espère vous prouver avec ce livre qu'il n'en est rien. Il est tout à fait possible de fusionner les plaisirs de la table à la saine alimentation.

## Côté santé

Cuisinez vos desserts soit avec de l'huile, soit avec de la margarine non hydrogénée. Oubliez le shortening d'huile végétale et les margarines régulières, ces deux produits contiennent des gras trans, de mauvais gras pour la santé. Bien sûr, vous pouvez utiliser du beurre. Toutefois, à teneur égale en gras, l'huile et la margarine non hydrogénée contiennent plus de bons gras et moins de gras saturés que le beurre.

## Ingrédients

> 60 ml (1/4 tasse) de margarine non hydrogénée ramollie
> 60 ml (1/4 tasse) de cassonade
> 60 ml (1/4 tasse) de miel
> 1 œuf
> 15 ml (1 c. à soupe) de zeste d'orange râpé (facultatif)
> 125 ml (1/2 tasse) de farine de blé entier
> 60 ml (1/4 tasse) de graines de lin moulues (facultatif)
> 30 ml (2 c. à soupe) de cacao
> 250 ml (1 tasse) de flocons de son de blé
> 125 ml (1/2 tasse) d'amandes * tranchées (facultatif)
> 60 ml (1/4 tasse) de mini-pépites de chocolat mi-sucré

## Préparation

1. Préchauffer le four à 180 °C (350 °F).
2. Dans un grand bol, à l'aide d'une fourchette, fouetter la margarine, la cassonade, le miel, l'œuf et le zeste d'orange jusqu'à ce que la préparation soit crémeuse.
3. Dans un autre bol, mélanger la farine, les graines de lin et le cacao. Ajouter à la préparation liquide et mélanger à la fourchette.
4. Ajouter les flocons de son, les amandes et le chocolat, et mélanger légèrement, juste assez pour répartir les ingrédients.
5. Former de petites boules avec les doigts et placer sur une plaque à biscuits doublée d'un papier-parchemin.
6. Cuire au four de 8 à 10 minutes ou jusqu'à ce que les rochers soient légèrement dorés. Ne pas trop cuire afin qu'ils demeurent tendres.

* Attention: les arachides et les noix sont interdites à l'école primaire.

## Valeur nutritive
(par portion)

| | |
|---|---|
| Énergie | 64 calories |
| Protéines | 1 g |
| Matières grasses | 3 g |
| Glucides | 8 g |
| Fibres alimentaires | 1,2 g |
| Sodium | 13 mg |
| Fer | 1,2 mg |
| Calcium | 11 mg |
| Oméga-3 | 0,2 g |

Graines de lin moulues

Cacao

Farine de blé entier

Amandes

*Faible en gras et en sodium.*
*Source de fer.*

# PAIN AUX COURGETTES ET AUX NOIX DE GRENOBLE

**PORTIONS: 16** | **PRÉPARATION: 10 MIN** | **CUISSON: 1 H**

## Côté pratique

Vous avez un peu de répit? Cuisinez à la manière des écureuils! Profitez-en pour faire des réserves. Multipliez par deux ou trois vos recettes de muffins, galettes, pains et barres tendres, puis congelez-les emballés individuellement. Vous aurez de bonnes collations maison à insérer dans la boîte à lunch.

## Côté santé

Au Québec, une personne sur deux ne consomme pas le minimum de fruits et légumes recommandé. Remédiez à la situation en ajoutant des fruits et légumes partout où vous le pouvez, comme dans cette recette. Les courgettes jaunes donnent même du moelleux au pain! Vous pouvez aussi utiliser des zucchinis verts, plus faciles à trouver toute l'année, et qui donnent une légère coloration verte.

## Ingrédients

> 4 courgettes jaunes (ou zucchinis)
> 3 œufs
> 125 ml (1/2 tasse) de cassonade
> 125 ml (1/2 tasse) d'huile végétale
> 10 ml (2 c. à thé) de vanille
> 500 ml (2 tasses) de farine de blé entier
> 250 ml (1 tasse) de flocons d'avoine
> 10 ml (2 c. à thé) de levure chimique (poudre à pâte)
> 10 ml (2 c. à thé) de cannelle
> 1 pincée de sel
> 250 ml (1 tasse) de noix de Grenoble * hachées (facultatif)

## Préparation

1. Préchauffer le four à 180 °C (350 °F).
2. Couper les deux extrémités des courgettes et hacher au robot culinaire (ou râper à l'aide d'une râpe à fromage) de façon à obtenir 500 ml (2 tasses) de courgettes.
3. Dans un grand bol, fouetter les œufs et la cassonade. Ajouter l'huile, la vanille et les courgettes, puis bien mélanger.
4. Dans un autre bol, mélanger la farine, l'avoine, la levure chimique, la cannelle et le sel. Ajouter les noix et mélanger de nouveau.
5. Ajouter la préparation de farine aux ingrédients liquides et mélanger à la fourchette pour bien humecter.
6. Répartir la pâte également dans 2 moules à pain antiadhésifs. Cuire au four 60 minutes ou jusqu'à ce qu'un cure-dent inséré au centre d'un pain en ressorte propre.

**\* Attention: les arachides et les noix sont interdites à l'école primaire.**

## Valeur nutritive
(par portion)

| | |
|---|---|
| Énergie | 219 calories |
| Protéines | 6 g |
| Matières grasses | 13 g |
| Glucides | 22 g |
| Fibres alimentaires | 3,5 g |
| Sodium | 31 mg |
| Fer | 1,6 mg |
| Calcium | 62 mg |
| Oméga-3 | 0,8 g |

Courgettes jaunes

Farine de blé entier

Flocons d'avoine

Noix de Grenoble

*Bonne source d'oméga-3.*
*Source de fibres, de fer et de calcium.*

PLAISIRS
SALÉS

# TREMPETTE AUX HARICOTS BLANCS ET AU PESTO

**PORTIONS: 8** | **PRÉPARATION: 15 MIN** | **CUISSON: 0 MIN**

## Côté pratique

J'ai un secret à vous confier… J'entretiens une histoire d'amour avec mon robot culinaire! Je ne pourrais pas me passer de lui. Il est incontournable pour cuisiner rapidement des mets santé. Potages, trempettes, mousses de saumon, tartinades… grâce au robot culinaire, toutes ces recettes donnent des résultats incroyables en quelques minutes. Dans une cuisine, une foule d'appareils et de petits électroménagers sont facultatifs, voire encombrants. Mais ne m'enlevez pas mon robot!

## Côté santé

Remplacez vos trempettes à base de mayonnaise ou de crème sure par celle-ci aux haricots blancs. Riches en fibres et en protéines et faibles en gras, les légumineuses aident à atteindre ou à maintenir un poids santé. Et si vous n'avez pas l'habitude de manger des légumineuses, cette recette est une excellente façon de vous initier. Elles passent incognito!

## Ingrédients

> 1 boîte de 540 ml (19 oz) de haricots blancs, rincés et égouttés
> 125 ml (1/2 tasse) de pesto de basilic
> 125 ml (1/2 tasse) de yogourt nature
> 5 ml (1 c. à thé) d'ail haché

## Préparation

1. Au robot culinaire, réduire tous les ingrédients en purée jusqu'à l'obtention d'une texture lisse et crémeuse.
2. Diviser dans des plats hermétiques pour la boîte à lunch. Garder au froid jusqu'au repas.

## Valeur nutritive
(par portion de 60 ml)

| | |
|---|---|
| Énergie | 108 calories |
| Protéines | 6 g |
| Matières grasses | 4 g |
| Glucides | 14 g |
| Fibres alimentaires | 3,3 g |
| Sodium | 15 mg |
| Fer | 2 mg |
| Calcium | 83 mg |
| Oméga-3 | 0,1 g |

Haricots blancs

Basilic

Yogourt nature

Ail

*Source de fibres, de fer et de calcium. Faible en sodium.*

# TARTINADE AUX LÉGUMES DU MARCHÉ

**PORTIONS: 8** | **PRÉPARATION: 15 MIN** | **CUISSON: 0 MIN**

## Côté pratique

Le labneh, un produit laitier originaire du Moyen-Orient, est à mi-chemin entre le fromage à la crème et le yogourt. Grâce à son goût subtil, il se marie avec le salé et le sucré. Il est moins gras que le fromage à la crème, la mayo et la crème sure. Vous le trouverez dans les épiceries libanaises et dans certains super-marchés. Vous pouvez faire votre propre labneh en faisant égoutter du yogourt nature dans une passoire doublée de coton à fromage ou d'un filtre à café.

## Côté santé

Les légumineuses vous font grimacer? Réduites en purées et combinées à d'autres ingrédients savoureux comme dans cette recette, vous oublierez que vous en mangez! Rincez toujours les légumineuses pendant plusieurs minutes à l'eau froide, afin d'éliminer la petite couche gélatineuse qui les recouvre. C'est cette substance qui est à l'origine des malaises et des ballonnements souvent ressentis après la consommation de légumineuses.

## Ingrédients

> 1 boîte de 540 ml (19 oz) de haricots de Lima rincés et égouttés
> 1 tomate coupée en 4 et épépinée
> 1/2 poivron rouge coupé en 4
> 1/2 poivron jaune coupé en 4
> 1/4 d'oignon rouge coupé en 4
> 4 morceaux de tomates séchées
> 125 ml (1/2 tasse) de labneh
> 125 ml (1/2 tasse) de chapelure

## Préparation

1. Au robot culinaire, réduire tous les ingrédients en purée jusqu'à l'obtention d'une texture lisse et crémeuse.
2. Diviser dans des plats hermétiques pour la boîte à lunch. Garder au froid jusqu'au repas.

### Valeur nutritive
(par portion de 60 ml)

| | |
|---|---|
| Énergie | 96 calories |
| Protéines | 6 g |
| Matières grasses | 1 g |
| Glucides | 17 g |
| Fibres alimentaires | 3,3 g |
| Sodium | 76 mg |
| Fer | 1,7 mg |
| Calcium | 45 mg |
| Oméga-3 | 0,1 g |

Haricots de Lima

Tomates

Poivron

Labneh

*Faible en gras et en sodium.*
*Source de fibres et de fer.*

# TREMPETTE DIJONNAISE

## Côté pratique

Préparez des trempettes tripantes! Le secret pour éviter que vos enfants se lassent des crudités, c'est de varier! Les minicarottes et le céleri, c'est pratique, mais redondant. Pourquoi ne pas ajouter des pois mange-tout crus, des carottes mauves, des lamelles de fenouil, des tomates cerises, du concombre libanais, des épis de maïs miniatures ou de la chayote? Variez les légumes au gré des saisons et des arrivages au marché.

## Côté santé

Les comprimés de multivitamine n'égaleront jamais la valeur nutritive des fruits et légumes. Les aliments contiennent des centaines de composés actifs impossibles à isoler, qu'on ne trouve pas dans les suppléments de multivitamine. Il est donc tout à fait faux de croire que les multivitamines peuvent remplacer les fruits et légumes. Voilà un argument qui ne sert qu'aux fabricants!

## Ingrédients

> 500 ml (2 tasses) de yogourt nature
> 30 ml (2 c. à soupe) de pesto de basilic
> 10 ml (2 c. à thé) de moutarde de Dijon
> 5 ml (1 c. à thé) d'ail haché
> Sel et poivre

## Préparation

1. Doubler une passoire d'un filtre à café et la déposer au-dessus d'un bol. Verser le yogourt dans la passoire, couvrir et laisser reposer de 12 à 24 heures au réfrigérateur. L'eau s'égouttera, et le yogourt perdra environ la moitié de son volume. Il deviendra épais et tartinable.

2. Dans un grand bol, mélanger le yogourt égoutté, le pesto, la moutarde et l'ail. Saler et poivrer, au goût. Diviser dans des plats hermétiques pour la boîte à lunch. Garder au froid jusqu'au repas. Servir cette trempette avec des crudités.

## Valeur nutritive
(par portion de 60 ml)

| | |
|---|---|
| Énergie | 86 calories |
| Protéines | 7 g |
| Matières grasses | 2 g |
| Glucides | 10 g |
| Fibres alimentaires | 0,3 g |
| Sodium | 162 mg |
| Fer | 0,3 mg |
| Calcium | 251 mg |
| Oméga-3 | 0 g |

Yogourt nature

Basilic

Ail

Moutarde de Dijon

*Faible en gras.*
*Bonne source de calcium.*

# MAÏS SOUFFLÉ OLÉ OLÉ!

| PORTIONS: 4 | PRÉPARATION: 1 MIN | CUISSON: 3 OU 4 MIN |

## Côté pratique

Si vous avez accès à un micro-ondes au bureau ou à l'école, vous pouvez faire éclater le maïs à la dernière minute. Placez les grains dans le sac, fermez et agrafez, puis placez dans la boîte à lunch. Emportez un mélange d'assaisonnements du commerce, que ce soit des fines herbes au citron ou des épices cajuns. Vous n'aurez qu'à rapporter la bouteille d'épices avec la boîte à lunch à la fin de la journée. Parions que vous ferez l'envie de vos amis avec votre maïs soufflé chaud!

## Côté santé

Une petite envie de grignoter? Essayez ce maïs sans gras: un vrai régal! D'autant plus que la même portion de maïs au beurre contient environ 10 g de gras. Le maïs soufflé vendu en sachet prêt à cuire pour le four à micro-ondes contient souvent des gras trans, de mauvais gras pour la santé. À seulement 8 ¢ pour 1,5 l (6 tasses) de maïs soufflé, ça ne vaut pas la peine de se passer de cette recette!

## Ingrédients

> 80 ml (1/3 tasse) de grains de maïs à éclater
> 15 ml (1 c. à soupe) d'épices au choix (cumin, garam masala, épices cajuns...)
> 1 pincée de piment de Cayenne (facultatif)

## Préparation

1. Dans un sac à lunch en papier brun, verser les grains de maïs à éclater. Fermer le sac en le repliant 2 fois à l'extrémité, puis l'agrafer. Déposer ensuite le sac à l'horizontale dans le four à micro-ondes et cuire 3 minutes, jusqu'à ce qu'il n'y ait presque plus de grains qui éclatent. On devrait obtenir 1,5 l (6 tasses) de maïs soufflé nature. (Les agrafes de métal peuvent aller au micro-ondes.)

2. Assaisonner le maïs en ajoutant des épices au goût et en remuant pour bien les répartir. Diviser dans des plats hermétiques ou des sacs de plastique pour la boîte à lunch.

**Note: le temps de cuisson peut varier selon la puissance du four à micro-ondes.**

## Valeur nutritive
(par portion)

| | |
|---|---|
| Énergie | 16 calories |
| Protéines | 1 g |
| Matières grasses | 0 g |
| Glucides | 3 g |
| Fibres alimentaires | 0,5 g |
| Sodium | 4 mg |
| Fer | 1,1 mg |
| Calcium | 14 mg |
| Oméga-3 | 0 g |

Grains de maïs à éclater

Épices cajuns

Curcuma

Piment de Cayenne

*Sans gras et sans sodium.*
*Source de fer.*

# POINTES DE PITA GRILLÉES AUX ÉPICES

**PORTIONS: 32** **PRÉPARATION: 10 MIN** **CUISSON: 5 à 10 MIN**

## Côté pratique

Saviez-vous qu'à la température ambiante, les épices deviennent périmées après une année? Elles perdent l'essentiel de leur parfum et peuvent même rancir, c'est-à-dire acquérir un mauvais goût. Une fois par année, faites le ménage de votre réserve d'épices. Inscrivez la date d'achat sur chaque petit pot. Et méfiez-vous des épices vendues en mégaformat. Elles risquent d'être déjà éventées et vous n'en prendrez jamais assez en une année pour rentabiliser votre achat.

## Côté santé

Ces pointes de pita remplacent les croustilles et autres grignotines riches en gras. Une portion contient 10 fois moins de gras que la même portion de chips nature. Une différence qui a du poids! Et pour améliorer encore plus la valeur nutritive de cette collation santé, préparez-la à partir de pitas de blé entier. Si vous manquez de temps, optez simplement pour des pitas miniatures.

## Ingrédients

> 4 pains pitas de blé entier
> 15 ml (1 c. à soupe) d'huile d'olive
> Assaisonnements au choix (épices cajuns, poudre d'ail, herbes de Provence, paprika, parmesan, graines de sésame...)

## Préparation

1. Préchauffer le four à 180 °C (350 °F).
2. Avec un pinceau, badigeonner les pains pitas d'huile d'olive. Assaisonner au goût.
3. À l'aide de ciseaux, couper chaque pain en 8 pointes et déposer sur une plaque à biscuits.
4. Griller au four de 5 à 10 minutes où jusqu'à ce que les pointes soient dorées et croustillantes, en surveillant régulièrement.
5. Diviser dans des plats hermétiques pour la boîte à lunch. Servir avec des trempettes ou de la salsa mexicaine.

## Valeur nutritive
(par portion)

| | |
|---|---|
| Énergie | 106 calories |
| Protéines | 3 g |
| Matières grasses | 4 g |
| Glucides | 16 g |
| Fibres alimentaires | 2,3 g |
| Sodium | 149 mg |
| Fer | 1,7 mg |
| Calcium | 17 mg |
| Oméga-3 | 0,1 g |

Pains pita de blé entier

Huile d'olive

Graines de sésame

Herbes de Provence

*Source de fibres et de fer.*
*Recette allégée.*

# POINTES DE TORTILLAS CROUSTILLANTES

**PORTIONS: 32** | **PRÉPARATION: 10 MIN** | **CUISSON: 5 à 10 MIN**

## Côté pratique

Conservez les tortillas dans une boîte de métal à l'abri de l'humidité. S'il vous reste des miettes dans le fond de la boîte après avoir dégusté les pointes, c'est tant mieux. Employez ces restes de tortillas cassées pour garnir une salade mexicaine, en remplacement des croûtons. Vous pouvez aussi les réduire en fines miettes et les ajouter à votre chapelure. Pas de gaspillage!

## Côté santé

Le secret derrière ces pointes si croustillantes? Le blanc d'œuf! Dilué dans un peu d'eau, le blanc d'œuf remplace ici l'huile. Il protège la tortilla à la cuisson. Celle-ci brunit moins rapidement. Elle a donc le temps de sécher en profondeur. Pour transformer ces tortillas grillées en petit plaisir sucré, remplacez les épices par du sucre et de la cannelle. Savourez en collation telles quelles ou avec une compote de pommes.

## Ingrédients

> 4 tortillas de blé entier
> 1 blanc d'œuf dilué dans un peu d'eau
> Assaisonnements au choix (épices cajuns, poudre d'ail, herbes de Provence, paprika, parmesan, graines de sésame...)

## Préparation

1. Préchauffer le four à 180 °C (350 °F).
2. Avec un pinceau, badigeonner de blanc d'œuf chaque tortilla, saupoudrer d'épices au goût et couper en 8 pointes à l'aide de ciseaux.
3. Placer sur une plaque doublée de papier-parchemin, et cuire de 10 à 15 minutes ou jusqu'à ce que les pointes deviennent dorées et croustillantes, en surveillant régulièrement.
4. Diviser dans des plats hermétiques pour la boîte à lunch. Servir avec des trempettes ou de la salsa mexicaine.

## Valeur nutritive
(par portion)

| | |
|---|---|
| Énergie | 150 calories |
| Protéines | 5 g |
| Matières grasses | 3 g |
| Glucides | 25 g |
| Fibres alimentaires | 2 g |
| Sodium | 249 mg |
| Fer | 1 mg |
| Calcium | 98 mg |
| Oméga-3 | 0 g |

Tortillas de blé entier

Œuf

Épices cajun

Piment de Cayenne

*Faible en gras. Source de fibres, de fer et de calcium.*

# RAÏTA

## Côté pratique

La raïta est une sauce indienne très rafraîchissante à base de yogourt. Il n'y a pas qu'une recette de raïta, il existe de nombreuses variantes. C'est une sauce passe-partout, qui se déguste aussi bien en trempette avec des crudités, des pointes de pain pita ou du pain naan, ou en accompagnement d'une grillade ou d'un fruit de mer. Vous verrez, la raïta sera encore meilleure le lendemain!

## Côté santé

Laissez dégorger le concombre dans le sel pour qu'il perde le maximum d'eau. Ensuite, rincez-le rapidement pour diminuer sa teneur en sel, mais sans le faire tremper. Dans la recette, il absorbera l'eau du yogourt et la raïta deviendra plus épaisse. Si vous ne le faites pas dégorger, le concombre libérera son eau dans le yogourt et la raïta sera trop liquide.

## Ingrédients

> 1 concombre pelé
> 5 ml (1 c. à thé) de sel
> 500 ml (2 tasses) de yogourt nature
> 1 tomate épépinée, en dés
> 60 ml (1/4 tasse) d'oignon rouge haché
> 80 ml (1/3 tasse) de menthe hachée
> 2,5 ml (1/2 c. à thé) de cumin
> 1 trait de sauce piquante
  (de type tabasco)

## Préparation

1. À l'aide d'un couteau économe (épluche-légumes), prélever des rubans de concombre tout autour de celui-ci. Arrêter avant d'atteindre les graines au centre du concombre. Placer les rubans de concombre dans une passoire et saupoudrer de sel. Laisser dégorger 5 minutes.

2. Pendant ce temps, dans un bol, mélanger le reste des ingrédients.

3. Tordre les rubans avec les mains pour retirer le maximum d'eau. Rincer à l'eau froide et tordre de nouveau. Hacher finement les rubans de concombre et ajouter à la raïta.

4. Diviser dans des plats hermétiques pour la boîte à lunch. Garder au froid jusqu'au repas.

5. Servir avec du pain naan ou des pains pitas. Se conserve une semaine au réfrigérateur.

## Valeur nutritive
(par portion de 125 ml)

| | |
|---|---|
| Énergie | 60 calories |
| Protéines | 5 g |
| Matières grasses | 0 g |
| Glucides | 9 g |
| Fibres alimentaires | 1,1 g |
| Sodium | 120 mg |
| Fer | 0,9 mg |
| Calcium | 184 mg |
| Oméga-3 | 0 g |

Yogourt nature

Concombre

Tomates

Oignons rouges

*Sans gras. Bonne source de calcium. Source de fer.*

# TREMPETTE CAJUN

**PORTIONS: 4** | **PRÉPARATION: 10 MIN** | **CUISSON: 0 MIN**

## Côté pratique

Servez cette trempette avec des crudités et variez votre sélection au gré des saisons. Vous profiterez des aubaines et obtiendrez des légumes d'une plus grande valeur nutritive. Saviez-vous que la valeur nutritive des fruits et légumes diminue chaque jour après la cueillette? Pour que les fruits et légumes vous procurent le maximum de bienfaits, achetez-les aussi frais que possible. À l'été et à l'automne, fréquentez les marchés publics et les stands de producteurs maraîchers.

## Côté santé

Cette trempette simple comme bonjour à préparer est un classique chez moi. Elle imite la populaire trempette ketchup-mayonnaise, mais contient 20 fois moins de gras et 5 fois moins de sel! Choisissez un yogourt épais à environ 4 % de matières grasses. Il sera plus onctueux. Ça vaut le coup!

## Ingrédients

> 250 ml (1 tasse) de yogourt nature
> 45 ml (3 c. à soupe) de pâte de tomate
> 15 ml (1 c. à soupe) d'épices cajuns
> 5 ml (1 c. à soupe) de miel

## Préparation

1. Dans un bol, mélanger tous les ingrédients. Diviser en portions de 60 ml (1/4 tasse) et garder au froid jusqu'au repas.
2. Servir avec une variété de crudités.

## Valeur nutritive

(par portion de 60 ml)

| | |
|---|---|
| Énergie | 58 calories |
| Protéines | 4 g |
| Matières grasses | 1 g |
| Glucides | 9 g |
| Fibres alimentaires | 0,8 g |
| Sodium | 56 mg |
| Fer | 0,5 mg |
| Calcium | 126 mg |
| Oméga-3 | 0 g |

Yogourt nature

Pâte de tomate

Épices cajuns

Crudités variées

> **Faible en gras et en sodium.**
> **Source de calcium.**

# SALADE DE CHOU, SIMPLE COMME TOUT

**PORTIONS: 8** | **PRÉPARATION: 10 MIN** | **CUISSON: 0 MIN**

## Côté pratique

La salade de chou est probablement la façon la plus populaire de profiter des bienfaits du chou. Et ça se comprend. Entre du chou bien croquant et un chou bouilli, que choisiriez-vous? Pour gagner du temps et pour vous inciter à préparer cette recette encore plus souvent, achetez du chou et des carottes déjà râpés. Ces aliments sont vendus en sac, au comptoir réfrigéré de la section des fruits et légumes. Ils sont un peu plus coûteux, mais tellement plus pratiques!

## Côté santé

Qu'elle soit traditionnelle ou crémeuse, la salade de chou des restaurants contient de 10 à 15 g de gras par portion de 250 ml (1 tasse). Cette recette allégée, colorée et savoureuse a donc de quoi surprendre: chaque portion coûte environ 15 ¢ et n'apporte qu'environ 1 g de gras. Que peut-on demander de mieux?

## Ingrédients

> 750 ml (3 tasses) de chou vert haché
> 250 ml (1 tasse) de carottes râpées
> 60 ml (1/4 tasse) de vinaigrette italienne légère (du commerce)
> 30 ml (2 c. à soupe) de vinaigre blanc
> 30 ml (2 c. à soupe) d'eau

## Préparation

1. Dans un grand bol, mélanger tous les ingrédients. Diviser la salade dans des plats hermétiques pour la boîte à lunch. Garder au froid jusqu'au repas.

## Valeur nutritive
(par portion)

| | |
|---|---|
| Énergie | 20 calories |
| Protéines | 1 g |
| Matières grasses | 1 g |
| Glucides | 4 g |
| Fibres alimentaires | 1,2 g |
| Sodium | 118 mg |
| Fer | 0,2 mg |
| Calcium | 19 mg |
| Oméga-3 | 0 g |

Chou vert

Carottes

Vinaigrette italienne légère

Vinaigre blanc

*Riche en antioxydants.*
*Faible en gras et en sodium.*

# FROMAGE AUX HERBES ET AUX OLIVES

| PORTIONS: 8 | PRÉPARATION: 10 MIN | CUISSON: 0 MIN |

## Côté pratique

Vos craquelins ont pris l'humidité et personne ne veut les manger? Ne les jetez pas! Faites-les sécher au four de 15 à 20 minutes à 100 °C (225 °F). Ils redeviendront croustillants comme à leurs premiers jours. Dégustez-les tels quels ou transformez-les en chapelure pour vos recettes de panure ou de pain de viande. Pour une chapelure à l'italienne, ajoutez 30 ml (2 c. à soupe) de parmesan râpé et 15 ml (1 c. à soupe) d'herbes de Provence pour 250 ml (1 tasse) de craquelins broyés.

## Côté santé

Le labneh contient moitié moins de gras que la crème sure, et sa texture est plus onctueuse. Si vous avez de la difficulté à en trouver en épicerie, vous pouvez le remplacer par du fromage frais (de type Damablanc ou *quark*) ou par du yogourt égoutté (voir méthode p. 204). Mais pourquoi ne pas demander à votre épicier de commander du labneh? Vous n'êtes sûrement pas le premier client de l'épicerie à en chercher!

## Ingrédients

> 250 ml (1 tasse) de basilic frais
> 250 ml (1 tasse) de persil plat frais
> 250 ml (1 tasse) de ciboulette fraîche
> 125 ml (1/2 tasse) d'estragon frais
> 125 ml (1/2 tasse) d'olives kalamata dénoyautées
> 250 g (8 oz) de labneh (ou fromage frais de type *quark*)

## Préparation

1. Au robot culinaire, hacher finement les herbes et les olives.
2. Ajouter le labneh et mélanger de nouveau jusqu'à l'obtention d'une texture homogène.
3. Diviser dans des plats hermétiques pour la boîte à lunch. Garder au froid jusqu'au repas.
4. Servir avec des crudités ou des craquelins. Délicieux sur une branche de céleri.

## Valeur nutritive

(par portion de 60 ml)

| | |
|---|---|
| Énergie | 41 calories |
| Protéines | 5 g |
| Matières grasses | 1 g |
| Glucides | 3 g |
| Fibres alimentaires | 1 g |
| Sodium | 86 mg |
| Fer | 1,4 mg |
| Calcium | 62 mg |
| Oméga-3 | 0,1 g |

Basilic frais

Persil plat

Olives Kalamata

Labneh

*Faible en gras et en sodium.*
*Source de fer et de calcium.*

# LÉGUMES GRILLÉS, MARINÉS OU EN TARTINADE

**PORTIONS: 1L (4 TASSES)** | **PRÉPARATION: 10 MIN** | **CUISSON: 25 MIN**

## Côté pratique

Chez moi, cette recette remporte un succès fou. Souvent, je double la recette et j'en utilise une partie au repas du soir pour accompagner une grillade. J'en fais mariner une autre partie pour ajouter aux sandwiches ou servir en antipasti. Finalement, j'en garde juste assez pour préparer la tartinade au fromage de chèvre, que je déguste sur des craquelins. Un petit plaisir qui disparaît en un clin d'œil!

## Côté santé

Ces légumes grillés ajouteront du goût et des fibres à vos sandwiches. Selon certaines études, une alimentation riche en fibres alimentaires protégerait contre le cancer du sein. Les femmes qui consomment plus de 25 g de fibres par jour pourraient réduire d'environ 40 % leur risque de ce type de cancer. Une autre bonne raison d'augmenter votre consommation d'aliments riches en fibres, comme les légumes, les fruits et les grains entiers!

## Ingrédients

> 1/2 bulbe de fenouil en lamelles
> 1 aubergine en bâtonnets
> 1 poivron rouge en bâtonnets
> 1/2 oignon espagnol en lamelles
> 1 champignon portobello tranché
> 1 courgette tranchée en biseau
> 60 ml (1/4 tasse) d'huile d'olive
> Jus de 1/2 citron
> 5 ml (1 c. à thé) de gros sel
> Poivre du moulin

## Préparation

1. Préchauffer le four à 180 °C (350 °F).
2. Dans un grand bol, verser tous les légumes. Ajouter l'huile et le jus de citron, et mélanger avec les mains pour bien enrober les légumes.
3. Répartir les légumes sur 2 plaques à biscuits doublées d'un papier-parchemin. Les légumes peuvent se chevaucher. Saupoudrer de sel et de poivre.
4. Cuire au four 25 minutes ou jusqu'à ce que le fenouil soit tendre.
5. Laisser refroidir quelques minutes avant d'utiliser.

### Variation 1 – Légumes marinés

> 500 ml (2 tasses) de légumes grillés
> 60 ml (1/4 tasse) de basilic frais, haché
> 15 ml (1 c. à soupe) d'huile d'olive
> 5 ml (1 c. à thé) de vinaigre balsamique

1. Dans un plat hermétique, mélanger tous les ingrédients et réfrigérer. Se conserve une semaine au réfrigérateur. Ajoutez aux salades et aux sandwiches.

### Variation 2 – Tartinade de légumes grillés au fromage de chèvre

> 375 ml (1 1/2 tasse) de légumes grillés
> 150 g (5 oz) de fromage de chèvre à pâte molle, non affiné

1. Au robot culinaire, mélanger les légumes grillés et le fromage jusqu'à l'obtention d'une consistance onctueuse. Se conserve une semaine au réfrigérateur. Étendre sur des craquelins ou dans un sandwich.

## Valeur nutritive

(par portion de 125 ml)

| | | V1 | V2 |
|---|---|---|---|
| Énergie | 95 cal | 133 cal | 179 cal |
| Protéines | 2 g | 2 g | 8 g |
| Matières grasses | 7 g | 10 g | 15 g |
| Glucides | 8 g | 8 g | 6 g |
| Fibres alimentaires | 3,7 g | 4,2 g | 2,9 g |
| Sodium | 91 mg | 95 mg | 214 mg |
| Fer | 0,6 mg | 0,6 mg | 1,3 mg |
| Calcium | 21 mg | 27 mg | 119 mg |
| Oméga-3 | 0,1 g | 0,1 g | 0 g |

Fenouil

Aubergine

Poivron rouge

Oignon espagnol

*Riche en antioxydants. Source de fibre*
*Faible en sodium.*

# CAROTTES MARINÉES À L'ORANGE

| PORTIONS: 250 ML (1 TASSE) | PRÉPARATION: 10 MIN | CUISSON: 0 MIN | ATTENTE: 48 H |
| --- | --- | --- | --- |

## Côté pratique

Ces carottes marinées ajoutent une saveur incroyable et du croustillant aux salades de verdures, wraps, sautés et soupes-repas à l'asiatique. On trouve l'équivalent dans les épiceries asiatiques: des carottes râpées marinées et vendues en pots. Mais cette recette est si simple à préparer, que ça ne vaut même pas la peine d'acheter les versions du commerce!

## Ingrédients

> 500 ml (2 tasses) de carottes râpées (du commerce ou au robot culinaire)
> 15 ml (1 c. à soupe) de zeste d'orange râpé
> Jus de 1 orange
> 15 ml (1 c. à soupe) de vinaigre de riz
> 15 ml (1 c. à soupe) de sucre

## Préparation

1. Dans un bol hermétique, mélanger tous les ingrédients, et réfrigérer au moins 48 h et jusqu'à 3 semaines. Le volume de la marinade réduira de moitié.

## Côté santé

Les carottes sont riches en caroté-noïdes, une famille d'antioxydants capable de neutraliser les radicaux libres, des molécules qui seraient impliquées dans l'apparition de certains cancers, de maladies du cœur et de maladies liées au vieillissement. Le stress, la pollution, une mauvaise alimentation et la séden-tarité augmentent la production de radicaux libres. Pour les contrer, saisis-sez toutes les chances que vous avez de manger des fruits et légumes.

## Valeur nutritive
(par portion de 60 ml)

| | |
| --- | --- |
| Énergie | 47 calories |
| Protéines | 1 g |
| Matières grasses | 0 g |
| Glucides | 11 g |
| Fibres alimentaires | 2 g |
| Sodium | 39 mg |
| Fer | 0,2 mg |
| Calcium | 23 mg |
| Oméga-3 | 0 g |

Carottes

Zeste d'orange

Jus d'orange

Vinaigre de riz

> *Sans gras. Faible en sodium.*
> *Source de fibres.*

PLAISIRS
SUCRÉS

# CRÈME DE TAPIOCA AUX FRAISES

**PORTIONS: 4** | **PRÉPARATION: 20 MIN** | **CUISSON: 10 MIN**

## Côté pratique

Le tapioca est une fécule produite à partir des racines de manioc séchées puis traitées. Il est formé de petites billes qui éclatent sous la dent. Un délice qui me rappelle mon enfance, quand ma mère nous préparait ce dessert. Le goût du «tapioca minute» est neutre, il faut donc l'aromatiser minimalement de sucre et de vanille. J'aime bien ajouter des purées de fruits, selon ce que j'ai sous la main. Les pêches sont mûres? Je les substitue aux fraises.

## Côté santé

Plus de 4 500 études ont démontré le rôle protecteur des fruits et légumes contre le cancer. De toutes les habitudes anticancer que vous pouvez intégrer à votre alimentation, la consommation quotidienne de 5 à 10 portions de fruits et légumes est certainement la plus efficace. Riches en vitamines, en minéraux, en fibres et en antioxydants, ils méritent tous une grande place dans vos repas.

## Ingrédients

> 500 ml (2 tasses) de fraises fraîches ou surgelées (pour obtenir 250 ml / 1 tasse de fraises en purée)
> 375 ml (1 1/2 tasse) de lait
> 60 ml (1/4 tasse) de sucre
> 45 ml (3 c. à soupe) de tapioca à cuisson rapide
> 5 ml (1 c. à thé) de vanille

## Préparation

1. Au mélangeur électrique, réduire les fraises en purée.
2. Dans une casserole moyenne, mélanger tous les ingrédients ensemble et porter à ébullition à feu moyen, en remuant régulièrement.
3. Dès que la préparation atteint le point d'ébullition, retirer du feu et laisser refroidir, en remuant régulièrement. La crème épaissira en refroidissant.
4. Diviser dans 4 plats hermétiques pour la boîte à lunch et garder au froid jusqu'au repas.

## Valeur nutritive
(par portion)

| | |
|---|---|
| Énergie | 126 calories |
| Protéines | 3 g |
| Matières grasses | 1 g |
| Glucides | 26 g |
| Fibres alimentaires | 0,9 g |
| Sodium | 41 mg |
| Fer | 0,3 mg |
| Calcium | 117 mg |
| Oméga-3 | 0 g |

Fraises

Lait

Tapioca

Vanille

*Riche en antioxydants.*
*Faible en gras. Source de calcium.*

# CRÈME À L'ORANGE

## Côté pratique

Très populaire en Europe, le fromage blanc est peu connu ici. C'est un fromage frais très crémeux, mais faible en gras. Sa texture est soyeuse, et son goût très doux. Il ressemble à du yogourt nature très épais, au goût moins acidulé. On le trouve facilement dans les épiceries sous le nom Damablanc ou *quark*. Parfumez-le de sirop d'érable ou de miel, et ajoutez-en une bonne cuillérée sur un bol de petits fruits. Un régal!

## Côté santé

Les graines de lin moulues ajoutent un goût subtil de noix, mais aussi une bonne dose d'oméga-3! Une consommation quotidienne d'oméga-3 a de nombreux effets bénéfiques, notamment sur la santé du cœur: réduction du taux de triglycérides dans le sang, prévention des caillots, légère diminution de la pression artérielle et réduction du risque d'arrêt cardiaque. Voilà de bonnes raisons pour ajouter des ingrédients riches en oméga-3 à votre menu!

## Ingrédients

> 1 grosse orange
> 500 g (2 tasses) de *quark* tiède
> 15 ml (1 c. à soupe) de miel
> 30 ml (2 c. à soupe) de graines de lin moulues
> 30 ml (2 c. à soupe) de pistaches * hachées (facultatif)

## Préparation

1. Prélever 15 ml (1 c. à soupe) de zeste d'orange. Réserver.
2. Couper l'orange en suprêmes de façon à séparer la chair et la peau de chaque quartier.
3. À l'aide d'une mixette, fouetter le fromage à vitesse lente quelques minutes. Ajouter les suprêmes et le zeste d'orange, le miel et les graines de lin, et fouetter à vitesse moyenne jusqu'à l'obtention d'une mousse onctueuse. Des ingrédients à la température de la pièce donneront de meilleurs résultats.
4. Diviser dans 4 plats hermétiques pour la boîte à lunch. Saupoudrer de pistaches et maintenir froid jusqu'au repas.

* **Attention: les arachides et les noix sont interdites à l'école primaire.**

## Valeur nutritive
(par portion)

| | |
|---|---|
| Énergie | 121 calories |
| Protéines | 12 g |
| Matières grasses | 4 g |
| Glucides | 10 g |
| Fibres alimentaires | 1,6 g |
| Sodium | 339 mg |
| Fer | 0,5 mg |
| Calcium | 72 mg |
| Oméga-3 | 0,6 g |

Oranges

Fromage quark

Graines de lin moulues

Pistaches

*Source de calcium et d'oméga-3.
Recette allégée.*

# TREMPETTE FRAÎCHEUR À LA MENTHE ET AU GINGEMBRE

**PORTIONS: 4** | **PRÉPARATION: 10 MIN** | **CUISSON: 0 MIN**

## Côté pratique

C'est un fait, les fruits sont nettement plus appréciés lorsqu'ils sont déjà coupés et servis avec une trempette. L'orange à peler ou la pomme qui salit les doigts ne feront pas le poids à côté d'un bol de fruits coupés. Si vous voulez que vos enfants mangent plus de fruits, pensez à la facilité. Moins ils ont d'effort à déployer pour le manger, meilleures sont les chances que le fruit se retrouve dans leur bouche plutôt que dans la poubelle!

## Côté santé

Plusieurs adultes délaissent les produits laitiers, croyant ne plus en avoir besoin après l'adolescence. Or, si vous ne consommez pas assez de calcium, vous le puiserez dans les réserves de vos os, qui deviendront plus fragiles, signe d'ostéoporose. Il n'est jamais trop tard pour réintégrer les produits laitiers. Les adultes en santé ont besoin de 1 g de calcium par jour, soit environ trois portions de produits laitiers.

## Ingrédients

> 250 ml (1 tasse) de yogourt nature
> 45 ml (3 c. à soupe) de menthe fraîche, hachée très finement
> 30 ml (2 c. à soupe) de miel
> 10 ml (2 c. à thé) de gingembre frais, haché finement
> 500 ml (2 tasses) de fruits coupés en cubes, au choix (melons, fraises, pommes, poires, pêches...)

## Préparation

1. Mélanger tous les ingrédients de la trempette et diviser dans des plats hermétiques pour la boîte à lunch. Garder au froid jusqu'au repas.
2. Diviser les fruits dans d'autres plats hermétiques pour la boîte à lunch. Garder au froid jusqu'au repas.
3. Pour servir, saucer les cubes de fruits dans la trempette avec un cure-dent ou une fourchette.

## Valeur nutritive

(par portion)

| | |
|---|---|
| Énergie | 110 calories |
| Protéines | 4 g |
| Matières grasses | 1 g |
| Glucides | 23 g |
| Fibres alimentaires | 2,4 g |
| Sodium | 46 mg |
| Fer | 0,9 mg |
| Calcium | 132 mg |
| Oméga-3 | 0,1 g |

Yogourt nature

Menthe fraîche

Gingembre

Fruits coupés

*Riche en antioxydants.*
*Source de fibres, de fer et de calcium.*

# PARFAIT À LA VANILLE

| PORTIONS: 4 | PRÉPARATION: 10 MIN | CUISSON: 0 MIN | ATTENTE: 12 à 24 H |
|---|---|---|---|

## Côté pratique

J'adore le yogourt égoutté. Pratique, il se parfume de mille et une façons, salées ou sucrées. Avec du sirop d'érable, de la vanille ou de la menthe, il devient un substitut à la crème fouettée. C'est délicieux sur le gâteau des anges! Dans cette recette, les framboises, en dégelant, se gorgent de yogourt et la préparation devient encore plus épaisse. Pour un parfait au chocolat, utilisez du pouding au chocolat et remplacez les framboises par des tranches de banane.

## Côté santé

J'ai toujours un sac de framboises surgelées dans mon congélateur. Pratiques et économiques, elles me permettent de créer une foule de desserts santé en un instant. Ce fruit est très riche en antioxydants et en plusieurs éléments nutritifs. Une portion de 125 ml (1/2 tasse) de framboises contient plus de 4 g de fibres, alors bourrez-vous... la framboise!

## Ingrédients

> 750 ml (3 tasses) de yogourt nature (1 pot de 750 g)
> 45 ml (3 c. à soupe) de sirop d'érable
> 5 ml (1 c. à thé) de vanille
> 250 ml (1 tasse) de framboises surgelées
> 375 ml (1 1/2 tasse) de céréales granola * du commerce (ou autres céréales sans noix)

## Préparation

1. Doubler une passoire d'un filtre à café et la déposer au-dessus d'un bol. Verser le yogourt dans la passoire, couvrir et laisser reposer de 12 à 24 heures au réfrigérateur. L'eau s'égouttera, et le yogourt perdra environ la moitié de son volume. Il deviendra épais et tartinable.
2. Transvider le yogourt égoutté dans un bol, ajouter le sirop et la vanille, puis mélanger.
3. Dans 4 plats hermétiques pour la boîte à lunch, déposer environ 45 ml (3 c. à soupe) de yogourt égoutté.

4. Couvrir de framboises et ajouter encore 45 ml (3 c. à soupe) de yogourt égoutté. Ajouter les céréales granola sur le dessus et refermer. Garder au froid jusqu'au repas.

* **Attention: certaines céréales granola contiennent des arachides ou des noix, des aliments qui sont interdits à l'école primaire.**

## Valeur nutritive
(par portion)

| | |
|---|---|
| Énergie | 400 calories |
| Protéines | 17 g |
| Matières grasses | 14 g |
| Glucides | 51 g |
| Fibres alimentaires | 6,1 g |
| Sodium | 144 mg |
| Fer | 2,5 mg |
| Calcium | 397 mg |
| Oméga-3 | 0,3 g |

Yogourt nature

Sirop d'érable

Framboises

Céréales granola

*Excellente source de fibres et de calcium. Bonne source de fer.*

# DÉLICE DU RANDONNEUR

**PORTIONS:** 4    **PRÉPARATION:** 5 MIN    **CUISSON:** 5 MIN    **ATTENTE:** 12 à 24 H

## Côté pratique

Vous pouvez remplacer les ingrédients par ceux que vous préférez, en respectant toutefois les proportions de céréales, de noix et de fruits. Mettez-y des noix de Grenoble, des graines de tournesol, des raisins secs, des dattes, des figues sèches… Les possibilités sont infinies! Pour un peu de fantaisie, ajoutez-y des craquelins au fromage en forme de poisson, du maïs soufflé, des croûtons à salade ou des céréales en forme de «o».

## Côté santé

Nature, naturelles, rôties à sec, grillées? Quelle est la différence? Les noix naturelles n'ont subi aucun traitement, alors que les noix rôties à sec ont été grillées au four, sans ajout de gras. On emploie souvent le mot «grillées» pour les noix rôties dans l'huile ou frites. Privilégiez les noix naturelles ou rôties à sec plutôt que celles rôties dans l'huile. Regardez la liste des ingrédients: si on y trouve de l'huile, les noix ont été frites!

## Ingrédients

> 80 ml (1/3 tasse) d'amandes * nature ou rôties à sec
> 80 ml (1/3 tasse) de noisettes * nature ou rôties à sec
> 80 ml (1/3 tasse) de canneberges sèches
> 80 ml (1/3 tasse) d'abricots secs, hachés
> 160 ml (2/3 tasse) de flocons de son de blé
> 5 ml (1 c. à thé) de cannelle
> 2,5 ml (1/2 c. à thé) de muscade

## Préparation

1. Dans une poêle, griller les amandes et les noisettes quelques minutes à feu moyen-doux, sans ajouter de matières grasses. Remuer et surveiller constamment pour éviter que les noix brûlent. Cette étape est facultative, mais rehaussera la saveur des noix.
2. Verser les noix dans un bol, ajouter les autres ingrédients et bien mélanger.
3. Diviser en 4 portions et conserver dans des plats hermétiques pour la boîte à lunch.

*** Attention: les arachides et les noix sont interdites à l'école primaire.**

## Valeur nutritive
(par portion)

| | |
|---|---|
| Énergie | 203 calories |
| Protéines | 5 g |
| Matières grasses | 13 g |
| Glucides | 22 g |
| Fibres alimentaires | 6,0 g |
| Sodium | 43 mg |
| Fer | 5,1 mg |
| Calcium | 56 mg |
| Oméga-3 | 0 g |

Amandes

Noisettes

Canneberges sèches

Abricots secs

> *Excellente source de fibres et de fer. Faible en sodium.*

# POUDING AU RIZ

**PORTIONS: 8**  **PRÉPARATION: 10 MIN**  **CUISSON: 35 MIN**

## Côté pratique

Plutôt que d'acheter du riz blanc (donc raffiné), privilégiez le riz à grains entiers (riz brun). Celui-ci n'a pas été dépourvu du son et du germe. Pour le même prix, ce riz fournit plus de fibres, mais aussi plus de protéines, de fer et de vitamines. Si vous n'êtes pas habitué à sa texture plus fibreuse, allez-y doucement et préparez cette recette moitié riz blanc, moitié riz brun.

## Côté santé

En ajoutant du tofu à cette recette, on obtiendra une texture crémeuse, et trois fois plus de protéines par portion que pour les poudings au riz classiques ou ceux du commerce. Autre fait intéressant, ce pouding au riz contient quatre fois moins de gras que ceux du commerce, vendus en petits contenants individuels. La preuve est faite: cuisiner des recettes maison, c'est toujours mieux!

## Ingrédients

> 250 ml (1 tasse) de riz à grains entiers (riz brun)
> 750 ml (3 tasses) d'eau
> 150 g (5 oz) de tofu soyeux mou
> 1 œuf
> 500 ml (2 tasses) de lait
> 125 ml (1/2 tasse) de sucre
> 5 ml (1 c. à thé) de vanille
> 5 ml (1 c. à thé) de cannelle
> 1 ml (1/4 c. à thé) de muscade
> 1 ml (1/4 c. à thé) de gingembre

## Préparation

1. Dans une casserole, ajouter le riz et l'eau, et cuire à couvert 20 minutes ou jusqu'à ce que l'eau soit absorbée. Réserver.
2. Pendant ce temps, au mélangeur électrique, mélanger le tofu, l'œuf, le lait et le sucre, jusqu'à l'obtention d'une texture crémeuse.
3. Ajouter au riz. Porter à ébullition, réduire à feu doux et cuire 15 minutes en remuant régulièrement, jusqu'à l'obtention d'une texture onctueuse, mais encore liquide. Le riz continuera d'absorber le liquide en refroidissant.
4. Ajouter la vanille, la cannelle, la muscade et le gingembre, mélanger et retirer du feu. Laisser refroidir et verser dans des plats hermétiques pour la boîte à lunch. Garder au froid jusqu'au repas.

### Valeur nutritive
(par portion)

| | |
|---|---|
| Énergie | 183 calories |
| Protéines | 6 g |
| Matières grasses | 2 g |
| Glucides | 34 g |
| Fibres alimentaires | 1,0 g |
| Sodium | 44 mg |
| Fer | 0,8 mg |
| Calcium | 91 mg |
| Oméga-3 | 0,1 g |

Riz brun

Tofu soyeux mou

Œuf

Lait

*Faible en gras et en sodium.*
*Source de fer et de calcium.*

# SALADE VERTE SURETTE

## Côté pratique

Amusez-vous à créer des salades monochromes. Choisissez une couleur et agencez tous les fruits de cette couleur pour produire des salades inusitées. La pêche, la mangue, l'orange, le cantaloup et les cerises de terre formeront «l'équipe» orangée, alors que les fraises, les cerises, le melon d'eau, les raisins rouges et la grenade rivaliseront du côté des rouges. Qui gagnera la partie? Laissez vos papilles trancher!

## Ingrédients

> 3 kiwis pelés, coupés en cubes
> 1/2 melon miel coupé en cubes
> 250 ml (1 tasse) de raisins verts
> 2 pommes vertes non pelées, coupées en cubes
> Jus de 1 lime
> Quelques feuilles de menthe (facultatif)

## Préparation

1. Dans un grand bol, mettre tous les ingrédients. Bien mélanger pour répartir le jus de lime et prévenir l'oxydation des pommes.
2. Diviser dans des plats hermétiques pour la boîte à lunch et garder au froid jusqu'au repas.

## Côté santé

La quantité impressionnante de fibres contenues dans un seul kiwi lui confère une place de choix dans une saine alimentation. Un kiwi contient près de 3 g de fibres, soit plus qu'une tranche de la plupart des pains de blé entier du commerce. Alors savourez les kiwis, ils sont économiques et on les trouve toute l'année dans nos épiceries. Leur prix moyen de 30 ¢ pièce atteint même 15 ¢ par moments. Choisissez les plus mûrs, ils seront plus sucrés.

## Valeur nutritive
(par portion)

| | |
|---|---|
| Énergie | 72 calories |
| Protéines | 1 g |
| Matières grasses | 0 g |
| Glucides | 19 g |
| Fibres alimentaires | 2,4 g |
| Sodium | 13 mg |
| Fer | 0,3 mg |
| Calcium | 18 mg |
| Oméga-3 | 0 g |

Kiwi

Melon miel

Raisins verts

Pomme verte

*Riche en antioxydants.*
*Sans gras. Source de fibres.*

# POUDING AU CHOCOLAT

| PORTIONS: 8 | PRÉPARATION: 10 MIN | CUISSON: 15 MIN | ATTENTE: 5 MIN |
|---|---|---|---|

## Côté pratique

Variez les parfums de ce pouding. Remplacez le cacao par 5 ml (1 c. à thé) de vanille de plus ou par quelques gouttes d'essence pure d'amande, de menthe ou d'orange. Sauf pour les enfants à l'école primaire, vous pouvez garnir le pouding de noix ou d'amandes hachées. En cas d'allergie aux noix, ajoutez plutôt des biscuits concassés ou des céréales à déjeuner sur le pouding au moment de le manger. Un duo crémeux et croquant!

## Côté santé

Ce pouding maison contient deux fois moins de gras et de sucre par portion que le pouding au chocolat du commerce. Il contient aussi plus de calcium et ne contient aucun additif, contrairement aux versions prêtes à manger, dont la liste d'ingrédients est longue et complexe! De plus, cette recette maison vous offre deux fois plus de portions pour le même prix.

## Ingrédients

> 80 ml (1/3 tasse) de fécule de maïs
> 60 ml (1/4 tasse) de cacao
> 60 ml (1/4 tasse) de sucre
> 1 l (4 tasses) de lait
> 5 ml (1 c. à thé) de vanille

## Préparation

1. Dans un bol, bien mélanger la fécule, le sucre et le cacao pour éviter la formation de grumeaux.
2. Verser dans une casserole moyenne, et ajouter le lait et la vanille. Fouetter vigoureusement pour bien dissoudre les ingrédients secs.
3. Cuire à feu moyen en fouettant régulièrement jusqu'à ce que la préparation atteigne le point d'ébullition (petits bouillons).
4. Retirer du feu et laisser tiédir quelques minutes avant de verser dans des plats hermétiques pour la boîte à lunch. Garder au froid jusqu'au repas.

## Valeur nutritive
(par portion)

| | |
|---|---|
| Énergie | 102 calories |
| Protéines | 5 g |
| Matières grasses | 2 g |
| Glucides | 18 g |
| Fibres alimentaires | 1 g |
| Sodium | 55 mg |
| Fer | 0,4 mg |
| Calcium | 149 mg |
| Oméga-3 | 0 g |

Fécule de maïs

Cacao

Lait

Vanille

*Faible en gras et en sodium.*
*Source de calcium.*

# YOGOURT À BOIRE

**PORTIONS: 4** | **PRÉPARATION: 5 MIN** | **CUISSON: 0 MIN**

## Côté pratique

Voici une variante hyper-rapide: à l'aide d'une cuillère, mélangez simplement du lait et l'équivalent de yogourt aux fruits. C'est la recette que ma fille préfère! Le goût de ce yogourt économique ressemble à s'y méprendre à ceux du commerce. Dans la recette complète, vous pouvez varier les saveurs à l'infini, mais en privilégiant les fruits sans pépins comme les bleuets, les pêches ou les mangues.

## Ingrédients

> 500 ml (2 tasses) de yogourt aux fruits (saveur au choix)
> 250 ml (1 tasse) de lait
> 250 ml (1 tasse) de fruits frais ou surgelés, sans pépins

## Préparation

1. Au mélangeur électrique, fouetter tous les ingrédients jusqu'à l'obtention d'une préparation onctueuse et homogène. Verser dans 4 contenants hermétiques pour liquides. Garder au froid jusqu'au repas. Agiter et déguster.

## Côté santé

Les bactéries ne sont pas toutes nuisibles! Les probiotiques sont utiles pour notre intestin. Choisissez des yogourts contenant des *lactobacillus casei* et *bifidobacterium,* deux bactéries probiotiques. La souche de bactéries utilisée est inscrite sur la liste des ingrédients. Plus un yogourt est frais, moins il est acide et plus sa teneur en bactéries est élevée. Consommez plus d'une portion de yogourt par jour pour profiter des bienfaits des probiotiques.

## Valeur nutritive
(par portion)

| | |
|---|---|
| Énergie | 166 calories |
| Protéines | 8 g |
| Matières grasses | 2 g |
| Glucides | 30 g |
| Fibres alimentaires | 0,6 g |
| Sodium | 98 mg |
| Fer | 0,2 mg |
| Calcium | 261 mg |
| Oméga-3 | 0 g |

Yogourt aux fruits

Lait

Mangue

Ananas

*Faible en gras et en sodium.*
*Bonne source de calcium.*

# MÉLI-MÉLO AUX FRUITS

## Côté pratique

Variez les fruits qui composent ce méli-mélo. Il n'y a que la papaye, les kiwis et les ananas frais qui ne conviennent pas à cette recette, car ils contiennent des enzymes qui empêchent la gélatine de prendre. Réglez le problème en utilisant de l'agar-agar, une gomme végétale qui résiste aux enzymes. On trouve cet extrait d'algue sous forme de poudre dans les magasins d'aliments naturels. Remplacez 15 ml (1 c. à soupe) de gélatine par 5 ml (1 c. à thé) d'agar-agar.

## Côté santé

Le Jello commercial, composé de gélatine, de sucre, de saveurs artificielles et de colorant, n'a rien de très nutritif. Mais puisque ce dessert plaît tant aux enfants, pourquoi ne pas en faire une version maison avec de vrais jus de fruits? C'est rapide, économique et tout aussi amusant pour les petits! Choisissez toujours des jus de fruits 100 % purs et n'ajoutez pas de sucre.

## Ingrédients

> 160 ml (2/3 tasse) de raisins rouges coupés en 2
> 160 ml (2/3 tasse) de fraises coupées en dés (fraîches ou surgelées)
> 160 ml (2/3 tasse) de mangue coupée en dés (fraîche ou surgelée)
> 60 ml (1/4 tasse) d'eau froide
> 1 sachet ou 15 ml (1 c. à soupe) de gélatine sans saveur (de type Knox)
> 60 ml (1/4 tasse) d'eau bouillante
> 250 ml (1 tasse) de jus de pomme

## Préparation

1. Répartir également les fruits dans 4 plats hermétiques pour la boîte à lunch.
2. Dans un bol moyen, ajouter l'eau puis la gélatine, et mélanger.
3. Ajouter l'eau bouillante et remuer pour dissoudre complètement la gélatine (de 1 à 2 minutes). Ajouter le jus de pomme et mélanger.
4. Répartir le liquide en 4 portions. Refermer le couvercle et placer au réfrigérateur au moins 2 heures pour permettre à la gélatine de prendre. Garder au froid jusqu'au repas.

## Valeur nutritive

(par portion)

| | |
|---|---|
| Énergie | 75 calories |
| Protéines | 2 g |
| Matières grasses | 0 g |
| Glucides | 17 g |
| Fibres alimentaires | 1,2 g |
| Sodium | 7 mg |
| Fer | 0,5 mg |
| Calcium | 14 mg |
| Oméga-3 | 0 g |

Raisins rouges

Fraises

Mangue

Jus de pomme

*Riche en antioxydants.*
*Sans gras. Faible en sodium.*

# PURÉE CENT FAÇONS

| PORTIONS: 4 | PRÉPARATION: 5 MIN | CUISSON: 0 MIN |

## Côté pratique

Voici une recette simple pour des purées de fruits pleines de goût et sans sucre raffiné. Pour varier, ajoutez-y quelques cuillères de jus de fruits pur concentré, non dilué. Les possibilités sont nombreuses! Purée de mangues et jus d'orange, purée de framboises et jus de raisin, purée de bleuets et jus d'ananas...

## Ingrédients

> 2 pommes pelées, épépinées et coupées en 4
> 500 ml (2 tasses) de fruits frais ou surgelés, sans pépins (au choix)

## Préparation

1. Au mélangeur électrique, réduire les ingrédients en une purée homogène. Répartir dans des plats hermétiques pour la boîte à lunch et garder au froid jusqu'au moment de servir.

## Côté santé

Les fruits et légumes bio représentent un bon choix non seulement pour l'environnement, mais aussi pour la santé. Selon certaines études, ils contiendraient moins de nitrates, une substance potentiellement cancérigène, et un peu plus de vitamines et de minéraux. Cette différence nutritionnelle viendrait du fait que l'aliment bio renferme moins d'eau, n'ayant pas été traité avec des engrais chimiques.

## Valeur nutritive
(par portion)

| | |
|---|---|
| Énergie | 70 calories |
| Protéines | 1 g |
| Matières grasses | 1 g |
| Glucides | 18 g |
| Fibres alimentaires | 2,9 g |
| Sodium | 1 mg |
| Fer | 0,2 mg |
| Calcium | 10 mg |
| Oméga-3 | 0,1 g |

Pomme

Ananas

Bleuets

Pêche

*Riche en antioxydants.*
*Faible en gras. Source de fibres.*

# SALADE DE FRUITS EXOTIQUES

## Côté pratique

Votre enfant a fait un bon coup et vous voulez le souligner d'une petite attention? Surprenez-le avec un porc-épic! Dans un plat hermétique rond et profond, placez une demi-orange à plat. Piquez tous les fruits de cette recette sur le dos de l'orange avec des cure-dents. Au besoin, coupez les fruits en plus petits morceaux. Mettez des cerises au marasquin pour les yeux et agrémentez le tout d'un petit mot doux. Ce porc-épic amusant mettra du «piquant» dans la boîte à lunch de votre petit chéri.

## Côté santé

La papaye fait partie des fruits les plus riches en vitamine C et contient beaucoup de vitamine A. Quoi faire avec l'autre moitié de la papaye? Ajoutez-la en petits dés à une salsa de tomates et de concombres, tranchez-la et garnissez-en vos sandwiches, ou faites-la cuire à la vapeur avant de l'ajouter à une purée de pommes de terre ou à un potage de courges, de carottes ou de patates douces. Miam!

## Ingrédients

> 1 boîte de 540 ml (19 oz) de litchis coupés en 4
> 1/2 papaye en gros dés
> 2 pamplemousses roses pelés à vif
> 250 ml (1 tasse) de raisins rouges coupés en 2
> 1 anis étoilé entier (facultatif)

## Préparation

1. Dans un grand bol, mélanger tous les fruits ensemble.
2. Diviser en 6 portions dans des plats hermétiques pour la boîte à lunch.
3. Casser l'anis étoilé en 6 morceaux et ajouter 1 morceau dans chacun des plats. Mélanger et garder au froid jusqu'au moment de servir. À noter que la gousse d'anis ne se consomme pas. Elle laissera seulement une douce saveur anisée, rappelant celle de la réglisse.

## Valeur nutritive
(par portion)

| | |
|---|---|
| Énergie | 97 calories |
| Protéines | 1 g |
| Matières grasses | 0 g |
| Glucides | 25 g |
| Fibres alimentaires | 2,5 g |
| Sodium | 2 mg |
| Fer | 0,4 mg |
| Calcium | 24 mg |
| Oméga-3 | 0,1 g |

 *Riche en antioxydants.*
*Sans gras. Source de fibres.*

# SALADE DE FRAISES ET DE BOCCONCINI À LA MENTHE

**PORTIONS: 4**   **PRÉPARATION: 10 MIN**   **CUISSON: 0 MIN**

## Côté pratique

Souvent, on n'ose pas marier les fruits et les épices. Pourtant, il n'y a rien de mieux pour réveiller les papilles. Les épices rehaussent le goût naturellement sucré des fruits. Pour vous initier, misez sur le poivre rose, la cannelle, la cardamome, le gingembre moulu ou l'anis étoilé. Dans cette recette, remplacez le poivre par l'une ou l'autre de ces épices. J'aime particulièrement l'anis étoilé. Une seule étoile qu'on laisse macérer dans la salade laissera un délicieux goût de réglisse.

## Côté santé

En plus d'être une excellente source de vitamine C, la fraise possède un grand pouvoir antioxydant. Elle contient différents composés phénoliques, dont l'acide ellagique et l'anthocyanine. Consommez-la bien mûre et de préférence crue, comme dans cette recette. La cuisson de la fraise diminue d'environ 20 % sa teneur en antioxydants et détruit l'essentiel de la vitamine C qu'elle contient.

## Ingrédients

> 500 ml (2 tasses) de fraises fraîches, coupées en 4
> 250 ml (1 tasse) de mini-bocconcinis coupés en 4
> 30 ml (2 c. à soupe) de menthe fraîche, hachée finement
> 30 ml (2 c. à soupe) de sirop d'érable
> 5 ml (1 c. à thé) de poivre rose concassé

## Préparation

1. Dans un bol, mélanger tous les ingrédients. Diviser dans 4 plats hermétiques pour la boîte à lunch et garder au froid jusqu'au repas.

## Valeur nutritive
(par portion)

| | |
|---|---|
| Énergie | 194 calories |
| Protéines | 11 g |
| Matières grasses | 12 g |
| Glucides | 11 g |
| Fibres alimentaires | 1,2 g |
| Sodium | 211 mg |
| Fer | 1,7 mg |
| Calcium | 100 mg |
| Oméga-3 | 0 g |

Fraises

Mini bocconcinis

Menthe fraîche

Poivre rose

*Riche en antioxydants.*
*Source de fer et de calcium.*

# ÉTAGÉ MOELLEUX
# AUX POIRES

| PORTIONS: 4 | PRÉPARATION: 10 MIN | CUISSON: 0 MIN | ATTENTE: 12 À 24 H |
|---|---|---|---|

## Côté pratique

Mangue, pêche, banane, bleuets...
osez varier les fruits qui composeront
ce dessert moelleux! Entre le moment
où vous préparez la recette et celui
où vous la dégustez, les biscuits
Graham se gorgeront de yogourt
et deviendront très tendres, un peu
comme une mousse. Vous pouvez
aussi ajouter du cacao à votre yogourt
égoutté pour une note chocolatée.

## Côté santé

Les biscuits Graham sont étonnamment
faibles en gras, si on les compare aux
autres biscuits sucrés du commerce.
On peut les déguster tels quels
en collation, les tartiner de beurre
d'arachides ou d'amandes, les garnir
de fruits frais ou les inclure dans vos
recettes préférées. En chapelure, ils
forment des fonds de tarte allégés et
donnent du croustillant aux muffins.
Entiers, ils sont parfaits pour satisfaire
votre dent sucrée!

## Ingrédients

> 750 ml (3 tasses) de yogourt nature
  (1 pot de 750 g)
> 45 ml (3 c. à soupe) de sirop d'érable
> 5 ml (1 c. à thé) de vanille
> 12 biscuits Graham
> 1 boîte de 796 ml (28 oz) de poires dans
  l'eau, égouttées et tranchées

## Préparation

1. Doubler une passoire d'un filtre à café
   et la déposer au-dessus d'un bol. Verser
   le yogourt dans la passoire, couvrir et
   laisser reposer de 12 à 24 heures au
   réfrigérateur. L'eau s'égouttera, et le
   yogourt perdra environ la moitié de son
   volume. Il deviendra épais et tartinable.
2. Verser le yogourt égoutté dans
   un bol, ajouter le sirop et la vanille,
   puis mélanger.
3. Dans 4 plats hermétiques pour
   la boîte à lunch, déposer environ 30 ml
   (2 c. à soupe) de yogourt à l'érable,
   un biscuit Graham, quelques tranches
   de poires, et répéter l'opération de façon
   à obtenir 3 étages par portion. Refermer
   les plats et garder au froid jusqu'au
   repas. Les biscuits s'imbiberont de
   yogourt et deviendront moelleux.

## Valeur nutritive
(par portion)

| | |
|---|---|
| Énergie | 381 calories |
| Protéines | 14 g |
| Matières grasses | 5 g |
| Glucides | 72 g |
| Fibres alimentaires | 4,3 g |
| Sodium | 404 mg |
| Fer | 2,3 mg |
| Calcium | 401 mg |
| Oméga-3 | 0,1 g |

Yogourt nature

Sirop d'érable

Biscuits Graham

Poire

> *Excellente source de calcium.*
> *Bonne source de fibres.*

# Index des recettes

## SANDWICHES

## SALADES DE VERDURE

## SALADES DE PÂTES ET DE PRODUITS CÉRÉALIERS

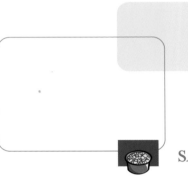

## SALADES DE LÉGUMINEUSES

## METS FROIDS

## MUFFINS, GALETTES ET BARRES TENDRES

## PLAISIRS SALÉS

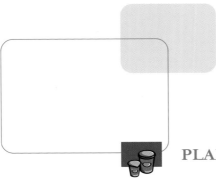

## PLAISIRS SUCRÉS